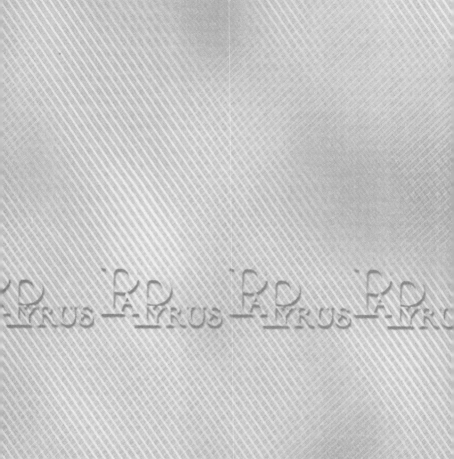

회귀 경찰의

리셋 라이프

The Reset Life

회귀 경찰의 리셋 라이프 5

초판 1쇄 발행 2021년 12월 9일

지은이 ㅣ 한길
발행인 ㅣ 신현호
편집장 ㅣ 이호준
편집 ㅣ 송영규 최종건 정재웅 양동훈 곽원호 조정범 강준석 최성화
편집디자인 ㅣ 한방울
영업 ㅣ 김민원

펴낸곳 ㅣ ㈜ 디앤씨미디어
등록 ㅣ 2002년 4월 25일 제20−260호
주소 ㅣ 서울시 구로구 디지털로 26길 111 JnK디지털타워 503호
전화 ㅣ 02−333−2513(대표)
팩시밀리 ㅣ 02−333−2514
E−mail ㅣ papy_dnc@dncmedia.co.kr

값 8,000원

ⓒ 한길, 2021

ISBN 979−11−364−2875−2 04810
ISBN 979−11−364−2581−2 (SET)

Papyrus Modern Fantasy
한길 현대 판타지 장편소설
회귀 경찰의
리셋 라이프
5
PAPYRUS
파피루스

1장. 처음부터 끝까지

처음부터 끝까지

일본 유도협회의 회의실이 어젯밤 전해진 소식에 침묵을 강요받는다.

종혁이 진 순간 '한국 유도 영웅의 몰락'이나 '진짜 일본 유도는 이런 것'이라는 타이틀로 기사를 낼 준비를 했던 그들은 이 믿기지 않는 상황에 입을 열지 못했다.

'야쿠자에 들어간 아이들을⋯⋯.'

그런 생각을 했던 이들은 모두 고개를 저었다.

야쿠자를 때려잡는 게 강력계 형사다.

그런데 거기서 고르고 고른 이들 전원이 전치 2주의 부상을 입었다. 딱 봐도 종혁이 손속을 봐줬다는 게 눈에 보였다.

어제 종혁이 10초 안에 한판을 따낸 숫자만 45명.

총 70여 명의 경찰들이 당했다.

'이 괴물 같은 놈!'

'정녕 인간인가!'

'왜 우리 일본에선 이런 인물이 나오지 않는 건가!'

이제 종혁을 잡으려면 총이나 칼, 약이 필요하다.

하지만, 거기까지 타락하지는 않은 그들이다.

설사 행동에 옮겼다 해도 들키면 큰일 수준으로 끝나지 않기에 포기할 수밖에 없었다.

"……한국의 최종혁은 더 이상 건드리지 않기로 하지."

일본 유도협회장의 힘 빠진 목소리에 그들은 다시 한번 침묵을 강요받아야 했다.

이번엔 체념의 침묵이었다.

* * *

짹짹.

작은 새가 노래를 부르는 아침.

아침 스트레칭을 마치고 곧 있을 식사 전, 애피타이저로 빵을 먹는 종혁의 방문이 활짝 열린다.

"움?"

"어이구. 우리 종혁이 일어났어?"

3, 4학년 선배들이다.

"빵 먹고 있구나? 우유도 함께 먹고 있어?"

"자자. 일단 엎드리자."

종혁을 엎어트린 선배들이 종혁의 몸을 주무른다.

"이야, 우리 종혁이 근육 단단한 거 봐라."

"와. 진짜 딱 하루라도 이런 몸으로 살고 싶다."

종혁은 당황했지만, 몸에 힘을 풀었다.

무도관을 박살 낸 다음 날부터 이렇게 마사지를 해 줬기 때문이다.

그날의 일로 종혁은 선배들의 예쁨을 한 몸에 받게 됐다.

"종혁아, 졸업하면 형이랑 같은 부서에서 일하는 거다. 알았지?"

"그래. 누나랑 범인 때려잡고 함께 체포왕 되는 거야."

"야 이씨 여자는 소년계나 가!"

"이게 갈비뼈를 다 털어 버려야 개소리를 안 하려나. 야, 나 신인왕 출신이다? 원투 맞으면 강냉이 우수수예요."

이런 이유다.

'내가 바로 밑으로 가면 안 좋을 텐데.'

나이 차이가 많이 나면 상관없지만, 차이가 나지 않으면 비교당할 게 뻔하다. 실제로 그런 이유로 한 식구임에도 견원지간이 되는 사례가 많다.

하지만 그걸 말할 만큼 경험이 없지 않은 종혁은 입을 꾹 다물었다.

이런 종혁의 마음을 모르는 그들은 더 힘차게 주물렀다.

그렇게 마사지를 마친 그들은 식당으로 향했다.

웅성웅성. 뚝!

…….

넓은 식당에 침묵이 내려앉는다.

혀를 차며 시선을 돌리는 이도 있다.

그에 선배들은 코웃음을 친다.

썩 당황스러운 광경이지만, 이젠 익숙하다.

'며칠이나 지났는데 아직도 꽁해 있기는.'

'일본 경찰 대범하다더니 쫌생이네.'

눈치가 있어 입 밖으로 내진 않았지만, 표정만으로도 이미 훌륭한 도발이 됐다.

발끈!

종혁은 후끈 달아오르는 공기를 무시하며 식판을 들었다.

"많이, 가득 주세요."

"예⋯⋯."

배식을 하는 아주머니의 시선도 곱지 않다.

그래도 배식은 잘해 주기에 음식들이 산처럼 쌓인 식판을 든 종혁은 빈자리에 앉았다.

3, 4학년 선배들도 그 주위에 앉았다.

그들은 오늘도 정복자가 되어 느긋이 식사를 시작했다.

"이야, 이 집 맛집이네. 종혁아, 이거 맛있다."

"하하. 예."

"이것도 먹어 봐."

무척이나 화기애애한 모습에 한 번 더 발끈한 주위 사람들은 필사적으로 무시하며 식사를 이어 갔다.

곧 식당이 다시 시끄러워졌다.

―탈옥범 야마다 히스노리의 도주가 오늘로써⋯⋯.

갑자기 식당이 더 조용해진다.

모두 식당 곳곳의 TV를 보며 이를 갈거나 고개를 떨군다.

의아해하며 TV를 본 종혁과 선배들은 이해할 수 있었다.

"선배님, 저거 그거 맞죠?"

"어. 일본판 한상원."

죄목은 한상원보다 더 악질이다.

납치 강간 살해 및 시체 유기.

사형을 당하지 않은 게 이해되지 않을 수준의 범죄이다.

"흠. 쟤 아직도 못 잡았나 보네."

"저희도 힘들게 잡았는데, 일본 경찰이라고 쉽게 잡겠습니까?"

"그래도 선진국 일본이잖아. 곧 잡겠지."

"그럴까요? 아, 종혁이 네 생각은 어때?"

카레 돈까스를 꿀떡 삼킨 종혁은 단언했다.

"저거 잡기 힘들 겁니다. 일본이기 때문에."

"어? 진짜? 왜?"

종혁이 지난 일 년 동안 범죄자를 몇 번 잡아서 경찰에 넘긴 걸 알고 있는 그들은 놀랐다.

조용히 자리했던 임성원도 호기심을 드러냈다.

"설마 개인주의 때문인가?"

종혁은 임성원 교수의 말에 고개를 끄덕였다.

"예. 우리나라야 옆집 숟가락이 몇 개인지까지 알 정도로 서로에 대해 관심을 가지지만, 일본은 그렇지 않죠."

"폐를 끼치는 걸 싫어하는 문화지."

정답이다.

"80년대 후반 증시와 부동산이 무너지며 경제공황이 온 이후 남녀 갈등도 극심해지면서 그런 경향이 심해졌죠."

너에게 폐를 끼치지 않을 테니, 나도 내버려 둬라.

그런 의미이다.

그리고 보여 주는 걸 중요시 여기지만, 지금은 할 말이 아니다.

"새로운 시각에서 접근하는군. 하지만, 일리가 있어."

삶이 빡빡해지면 타인에 일에 관심이 없어지는 법이다.

곳간에서 인심이 나는 거다.

"그렇다 보니 일본은 소수 무리의 사회가 됐습니다. 친한 이웃, 친구, 같은 부서의 상사의 일만 관심 있어 하지, 다른 건 관심 가지지 않게 됐죠. 정치까지도."

지금은 인터넷이 보급화되면서 그런 현상이 더 두드러지고 있다. 이걸 아는 이유는 단순하다.

일본에는 한국 뉴스에도 나올 만큼 심각한 강력 사건들이 많다 보니 형사로서 자연스럽게 알게 된 거다.

"훌륭해. 그래서 못 잡는다는 건가?"

"PC방이라고 해도 옆에 누가 앉는지조차 관심이 없는데, 어떻게 찾겠습니까? 빈집 같은 곳에 숨어 버리면 절대 못 찾죠."

"푸핫. 그렇겠군."

이 시기 한국은 PC방에서 누가 게임을 하면 그 뒤에서 구경하고, 폐가가 있으면 꼬맹이들이 아지트로 쓴다.

동네 사람들도 서로가 모두 알고 있다 보니 낯선 이가

들어오면 바로 눈치채게 된다.

임성원 교수는 감탄했다.

'이놈 타고났는데?'

이렇게 다각화된 시각에서 접근해 추리를 한다는 건 아무나 할 수 없는 일이다.

이건 정말 타고난 재능이다.

임성원 교수의 두 눈이 흥미로 번들거리기 시작했다.

덜컹!

종혁과 임성원 교수의 시선이 돌아갔다.

임성원 교수의 뒤에서 벌떡 일어난 사람이 몸을 돌리고 있었다.

"지금 그 말, 다시 해 줄 수 있겠스무니까?"

피부가 새까맣고 마른 삼십대 초반의 사내.

꾹 다문 입술과 주름진 미간이 인상적이다.

종혁은 그런 그를 보며 눈을 동그랗게 떴다.

'어? 무로이 경시감?'

무로이 코헤이 경시감.

2015년, 고작 45세 최연소로 경시청 형사 제1부장이라는 직책에 오르는 엘리트이다.

한국 경찰로 따지면, 치안감에서 치안정감이다.

국제 마약 조직 소탕이나 범죄 증거 확보 등을 위해 공조 수사를 몇 번 이루면서 인연을 맺었다.

"빈집 같은 곳에 숨어 버리면 못 찾는다? 말입니까?"

"예, 그거! 정말 당신은 그렇게 생각하는 겁니까?"

사람들의 이목이 끌린다.

눈을 빛낸 임성원 교수는 종혁이 말을 잘할 수 있도록 몸을 옆으로 뺐다.

고맙다는 눈빛을 보낸 종혁은 일본어로 말했다.

"예. 전 가능성이 높다고 봅니다."

작은 무리의 사회라지만, 그래도 이방인은 눈에 띈다.

한상원이야 여자를 꼬드겨 그 집에 숨어 살았지만, 이 놈은 여자를 납치해 강간 살해를 한 놈이다.

"이 탈옥수는 여자를 납치해 강간 후 살해할 만큼 여성에게 매력적이지 못한 놈입니다. 또 시신을 유기했는데도 목격한 사람을 찾기 힘들었죠."

즉, 이놈은 이웃들에게도 존재감이 흐릿하단 소리이다.

"이렇게 사회성이 없는 놈이 숨을 곳은 어딜까요? 탈옥수이니 돈도 없을 테고요. 그 즈음 그 근처에서 강도나 절도 사건이 벌어진 적 있습니까?"

임성원은 속으로 박수를 쳤다.

접근 방법이 놀랍도록 세련되고 진화되어 있다.

'이건 프로파일링을 기반으로 한 추리인데? 아니, 여기에 행동심리학도 플러스 됐어!'

현직 형사들도 제대로 모르는 프로파일링과 행동심리학.

교수인 그도 어려워하는 분야이다.

'그런데 이걸 일개 생도가 알고 있다고?'

헛웃음이 나왔다.

"이, 있습니다. 죄수복이 발견되지 않았지만, 옷을 도

난당한 사건이 있습니다!"

"돈은요?"

"아, 아뇨. 그런 사건이 있긴 하지만 모두 범인이 잡혔습니다."

"그래요? 와, 이 새끼 똑똑하네."

"예?"

주목을 하고 있던 일본 경찰들도 의아해했다.

종혁을 미워하는 그들도 어느새 이 둘의 대화에 푹 빠져 있었다.

"추적을 당할 걸 우려해서 일부러 범죄를 저지르지 않은 겁니다. 대신 추적을 당하지 않을 방법으로 음식을 구했을 겁니다."

"……편의점 폐기 음식?"

"음식물 쓰레기일 수 있죠. 일본에선 음식물 쓰레기를 버리는 날이 지정되어 있다죠?"

"……맙소사!"

"미친?!"

그동안 한 번도 나오지 않은 새로운 견해이다.

그들의 몸이 달아올랐다.

그때 누군가 크게 외쳤다.

"하지만 그 섬엔 빈집이 없습니다!"

"섬?"

"그놈이 갇혀 있던 교도소는 섬에 지어져 있습니다! 그렇다 보니 인구수도 적고, 숨을 곳도 없습니다!"

육지와 가장 거리가 좁은 곳이 250미터다.

그래서 경찰들은 오늘도 야산을 뒤지고 있었다.

그 말을 듣는 순간 종혁은 촉이 섰다.

"아, 이 새끼 내륙으로 튀었구나."

"무슨! 탈옥이 알려진 순간 육지로 향하는 모든 출입구를 봉쇄했습니다!"

"그럼 헤엄쳐서 빠져나왔겠네요."

"그곳은 1년 내내 파도가 심하게 몰아치는 바다입니다!"

내륙과 가장 가까운 곳도 거리가 약 250미터다.

"그게 어때서요?"

"네?"

"250미터. 먼 것 같지만, 의외로 멀지 않습니다. 해 봐서 알아요."

바닷가에서 합숙할 때 섬 찍고 오는 건 일상다반사였다.

그 동네 초등학생들도 곧잘 한다.

"그리고 그 파도가 정말 1년 내내 밤낮 가리지 않고 심하게 몰아칩니까? 장담할 수 있어요? 그리고 밀물, 썰물은 생각 안 합니까? 만조는? 마지막으로 탈옥하려는 새끼가 자기 갇힌 곳의 지형지물도 알아보지 않았을까요?"

……오싹!

무로이뿐만 아니라 경찰 간부후보들 전부 핸드폰을 꺼내 들었다.

"경시감님! 무로이 코헤이입니다! 지금 야마다 히스노리에 대한 새로운 견해가 나와서 연락드렸습니다!"

시끄러워지는 그들을 일견한 종혁은 선배들을 봤다가 깜짝 놀랐다. 다들 멍하니 바라보고 있었다.

그리고 임성원 교수는 잔뜩 경악하고 감격한 얼굴로 박수를 치고 있었다.

짝! 짝! 짝!

"훌륭해. 멋져."

프로파일링으로 범인의 성향과 심리를 예측하고, 행동 심리학으로 전체를 객관적으로 보아 범인의 다음 행동을 예측한다.

앞으로 경찰들이 지향해야 할 수사 기법의 완성형을 보는 것 같다.

온몸에 전율이 일어 박수를 치지 않고는 견딜 수 없었다.

'뭘요. 이 정도는 기본이죠.'

정말 기본이다.

미래 팀장급 경찰이라면 기본으로 탑재해야 되는 수사 기법.

종혁은 머리를 긁적였다.

＊　＊　＊

종혁에겐 기본이지만, 다른 이들에겐 아닌 것 같았다.

족히 100명은 앉을 반원형의 강당.

단상에 선 종혁은 강당을 빼곡하게 채운 일본 경찰들을 떨떠름히 보았다.

"나 왜 여기 있는 거냐."

간부후보생도들뿐만이 아니다.

경시부터 경시감까지 중앙에 떡 앉아 있다.

한국으로 치면, 경정부터 치안정감까지 코앞에 있는 거다.

그런 그들을 일개 생도가 가르치려는 거다.

종혁은 원망을 담아 무로이를 노려봤다.

이 사태의 원인이 무로이기 때문이다.

그런 추론을 하게 된 이유를 숨김없이 다 말해 버린 그.

그래서 이런 사태가 벌어진 거다.

무로이가 부럽다는 얼굴로 엄지손가락을 치켜세운다.

종혁은 헛웃음을 터트렸다.

'……저 양반, 저런 캐릭터 아닌데.'

과묵의 결정체.

정말 딱 할 말만 하는 상남자.

원리원칙의 수호자.

그게 종혁이 아는 무로이 코헤이다.

'아, 원리원칙. ……니미럴.'

"미안하지만, 빨리 시작해 줄 수 있겠나?"

경시감이 손을 들어 말한다.

급하긴 정말 급한 것 같았다.

'하긴, 한국도 한상원 때문에 목이 여럿 날아갔지.'

대한민국 경찰 역사상 최고로 간부 TO가 빈 시기였다.

'에라이.'

한숨을 푹 내쉰 종혁은 분필을 잡았다.

"그래. 뭐 한두 번 해 보는 것도 아니고."

대형 사건이 터졌을 때 경찰청장과 고위 간부들 앞에서 브리핑하던 게 몇 번이던가.

이젠 신물이 날 지경이다.

'까짓것 해 보자!'

종혁의 눈에 힘이 들어갔다.

"일단 제가 그런 추론을 한 근본적인 이유를 알려 드리겠습니다."

슥!

종혁은 작은 원을 그렸다.

"일본은 소수 무리의 사회입니다. 소수끼리만 커뮤니케이션을 나누는 작은 사회. 이런 사회가 모여⋯⋯."

슥슥슥!

칠판에 포도송이가 그려진다.

"동, 구, 시, 도, 현, 나라 일본을 이루고 있습니다. 뭐, 나라는 너무 간 거니 다시 돌아와서. 여기서 주목해야 될 점은 이 작은 사회와 작은 사회의 빈 공간입니다. 감시의 사각."

"감시?"

종혁은 읊조리다 화들짝 놀란 무로이를 봤다.

"동이든 마을이든 기존 구성원의 시선 말입니다."

"아."

웅성웅성.

"기본적으로 모든 수사는 사건 발생 후 목격자의 증언에 의해 진행됩니다. 지금은 CCTV도 있지만, 보급률이

낮으니 일단 논외로 치죠."

"거기서부터 생각한 건가……."

종혁은 얼굴이 굳는 무로이를 일견한 후 이 자리의 대장인 경시감, 경시청 제2형사부장을 보며 아까 식당에서 말했던 추론을 읊어 갔다.

"흠."

"허."

웅성거림이 더욱 커졌다.

그들의 눈에 불신이 차 있다.

'이걸 그 짧은 시간에 생각했다고?'

식당에서 TV를 보자마자 추론을 했다는 걸 들은 그들이다.

'천재'란 두 글자가 그들의 머릿속에 떠올랐다.

'그리고 범죄자 따위가 그런 것까지 생각한다고?'

믿기지 않는다. 탈옥수 야마다 히스노리는 고졸조차 못한 범죄자니까.

하지만 종혁의 추론이 너무 그럴듯하다.

그러다 번뜩 한 가지 생각이 들었다.

'유기한 시신이 우연히 발견되지 않았다면 야마다는 못잡았다!'

시신이 백골로 썩었으면 완전범죄였다.

그만큼 치밀했던 야마다 히스노리이다.

즉, 종혁은 이것까지 계산에 넣은 후 야마다의 다음 행동을 예측한 거다.

'이 무슨 괴물 같은!'

'정말 야마다가 섬을 떠난 건가?!'

그들의 심장이 철렁 내려앉았다.

종혁은 그런 그들을 보며 고개를 끄덕였다.

'이제야 처음으로 돌아갔군.'

한상원 때도 그랬다.

전국 모든 경찰이 그를 강도치사 살인범 탈옥수로만 생각하고 포위망을 형성, 수색 검문했다.

그가 어떤 성격인지.

인간관계는 어떻게 맺는지.

좋아하는 여성상은 뭔지 등 한상원이란 인간 자체에 집중하지 않은 채.

'아직 프로파일링과 행동심리학이 도입되지 않은 시기니 뭐…….'

미래의 범죄 수사는 이 두 개의 도입 전과 도입 후로 나뉜다.

이 두 개가 도입되면서 수사 기법은 놀랍도록 발전한다.

그전까지는 대부분의 경찰들이 본인의 경험으로 판단했는데, 이게 의외로 잘 먹혀서 미래에도 이 둘을 무시하는 경찰들이 많았다.

하지만, 결국 시대가 빠르게 발전하면서 범죄 유형과 수법도 빠르게 바뀌고 진화하자 어쩔 수 없이 배우게 됐다.

종혁은 강력반 형사가 됐을 때부터 파고들기 시작해 본인만의 스타일로 완성시켰다.

현재도 이를 바탕으로 판단하고 움직이고 있었다.

'음?'

종혁은 손을 드는 무로이를 봤다.

분명 손을 들기 전 경시감과 눈빛을 나눴다.

'아는 사이인가?'

"정말 야마다 히스노리가 섬을 떠났다면 수사를 어떻게 진행해야 합니까?"

모두의 시선이 집중된다.

'저 양반이?!'

"끙."

번데기 앞에서 주름 잡으라는 소리이다.

내키지 않았지만, 모두 기대 어린 눈으로 쳐다보고 있었다.

"……뭐 다들 아시겠지만, 일단은 탈옥범 야마다 히스노리가 헤엄쳐서 섬을 빠져나갔다고 판단, 가장 유력한 도착 포인트부터 싹 훑어야 할 겁니다."

목격자, CCTV뿐만 아니라 야마다 히스노리가 탈옥한 이후 발생한 사건 가운데 미해결 사건 모두를 재검토해야 한다.

이 무시무시한 말에 모두의 낯빛이 흐려졌다.

"그래도 강도 살인이나 강도, 절도, 차량 절도 위주로 뒤지면 될 것 같습니다."

무로이는 깜짝 놀랐다.

"도주에 초점을 둔다는 겁니까?"

"위험한 장소에서 멀어져야 한다는 건 동물의 기본 심리입니다."

"아아."

"아, 그리고 귀신 목격 제보도 찾는 게 좋겠군요."

"귀신 목격담…… 말입니까?"

웅성웅성.

뜬금없는 말에 모두가 당황했다.

잘 나가다 삼천포로 빠지는 느낌.

하지만 이들 중 이 말의 뜻을 알아챈 사람이 한 명 있었다.

종혁이 어떤 학문을 기반으로 수사하는지 깨달은 사람.

임성원 교수이다.

"빈집에 숨어 있을 가능성을 말하는 거지? 처음부터 제기했던."

종혁은 짓궂게 웃었다.

"정답입니다, 교수님. 빈집에 숨어 있는 귀신처럼 흐으으."

피식!

실소가 강당에 번진다.

무거워진 마음을 가볍게 만드는 위트였다.

"물론 전국에 수배부터 때리는 게 우선이겠죠. 이상입니다."

……짝! 짝! 짝!

무로이가 박수를 치자 이내 강당 전체로 번져 갔다.

짝짝짝짝짝!

"오오."

"와아!"

모두가 일어나 기립 박수를 친다.

'크. 죽이네.'

온몸이 짜릿짜릿했다.

약간의 시간이 흐르며 진정이 되자 여태껏 침묵하고 있던 경시감이 입을 열었다.

"훌륭한 추리, 감명 깊게 들었네. 미리 고맙다 말하고 싶군."

"별거 아닙니다."

"우리에겐 별거 맞네."

웃으며 몸을 일으킨 그는 경시청 형사들을 봤다.

그들은 자세를 재빨리 바로 했다.

"뭣들 하나. 친구가 밥상을 차려 줬는데, 떠먹여 주기까지 해야 돼?"

"······옙!"

"그쪽 지방서에 연락부터 해!"

"난데! 지원과에 연락해서 인력 충원 좀 해!"

우르르!

경시청 형사들이 빠져나가고, 간부후보생들도 그 분위기에 휩쓸려 빠져나가자 종혁은 부럽다는 듯 쳐다봤다.

'아, 나도 끼고 싶다.'

지금부터 엄청 바빠지고 번거로워질 테지만, 그럼에도 몸이 달아오른다.

"역시 난 형사가 체질인가."

뚜벅, 뚜벅.

"뭐라 감사 인사를 드려야 할지 모르겠군요."

"하하. 아직 안 잡았습니다, 무로이 씨."

"하지만 잡은 거나 다름없죠. 후후."

경찰에게 확신은 금물이지만, 좋은 분위기라 종혁은 입을 다물었다.

'이 양반 웃을 줄도 아네.'

모르는 모습이 계속 발견돼서 신기했다.

'이땐 잘 웃었다는 건가.'

"그래서 하는 말인데, 검거 때 참관해 보시겠습니까?"

"어? 정말요?"

"이 범인은 당신이 잡은 거니까요. 그럼 그렇게 알고 물러나겠습니다. 선물은 놈을 잡은 후 준비해 드리죠."

"네?"

종혁은 멀어지는 무로이를 보며 고개를 모로 기울였다.

"저 양반이 참관을 허락한다 만다 할 위치가 되나?"

이번 교육을 마치고 나야 경부보, 한국으로 치면 경위이다.

경찰로 치면 중간 간부.

간부들 세계에서는 저 밑 애송이다.

의아해하는 종혁에게 선배들이 다가왔다.

"넌 정말…… 와."

할 말이 너무 많은데, 부럽고도 대단해 말이 뱉어지지

않는다.

종혁은 머리를 긁었다.

"하하하."

그런 그의 손을 임성원 교수가 꽉 잡았다.

"교수님?"

"최종혁 생도."

"예."

"프로파일링과 행동심리학을 기반으로 둔 추측이었지?"

"예."

"그럼 이걸 나와 함께 수사 기법으로 완성해 보지 않겠나?"

"수사 기법…… 예……? 예?!"

종혁은 임성원을 멍하니 보았다.

한편, 강당을 나선 경시감은 맑은 하늘을 보며 헛웃음을 터트렸다.

'그 친구에게 면이 서게 될 것 같지만…….'

납치 강간 살해 피해자의 유족.

잡아넣었지만, 도망을 쳐 버렸기에 그동안 면목이 없었다.

잡는다면 다시 할 말이 생기겠지만, 씁쓸했다.

온전히 일본 경찰의 공이 아니기 때문이다.

"한국의 수사 기법이 이렇게까지 발전한 건가."

선진국 일본의 선진 경찰.

여태껏 그의 자부심 그 자체였던 단어인데 이젠 그 빛이 바래는 것 같다.

뚜벅뚜벅.

"이젠 우리가 배워야 할 차례입니다, 아버지."

"쿄."

그랬다.

둘은 부자 관계였다.

경시청의 경시감 무로이 켄타는 고개를 끄덕였다.

"그래야겠지."

'역시 한국은 발전하는 속도가 무섭군.'

10년 전부터 정체되어 버린 일본과 너무 비교가 된다.

이젠 돌이킬 수 없는 관료주의가 되어 버린 일본.

하지만.

"정말 배울 생각이냐?"

"범인을 잡기 위해서라면 뭐든지 배울 생각입니다."

"······그래. 경찰이라면 그래야지. 잘 생각했다."

일본엔 아직 이런 인재들이 남아 있다.

이들이 자라 일본 경찰을 다시 우뚝 서게 만들 거다.

언제나 밑으로 보던 한국이기에 반대의 물살이 거셀 테지만, 아들이라면 충분히 이겨 낼 수 있으리라 믿었다.

그는 희망을 품으며 발을 내디뎠다.

"아, 그리고 최종혁 생도에게 야마다 검거 때 참관해 줄 것을 요청했습니다."

"뭐? 네가 무슨 자격으로?"

"경시청 제2형사부장이 아버지시니까요."

"······이런 미친놈을 봤나."

무로이 켄타는 방금 전 품은 희망을 다시 생각해 봐야

하는 건가, 깊은 고민에 빠졌다.

*　*　*

　수사 방향이 정해지자 일본 경찰은 은밀하게 움직였다.
　괜히 매스컴을 탔다가는 범인이 초조한 마음에 또 다른
범행을 저지를 수 있기에 최대한 은밀하게 추적했고, 결
국 결정적인 단서를 발견할 수 있었다.
　내륙의 어느 산길에서 탈옥범 야마다 히스노리가 이용
한 차량이 발견된 것이다.
　절도 신고가 된 차량.
　그 안에서 놈의 지문과 약 4일간 머문 흔적이 나왔다.
　누가 봐도 그곳에 숨어 사태 추이를 관찰한 거다.
　정말 종혁의 말처럼 야마다 히스노리는 내륙으로 도주
해 차량을 절도한 거다.
　'거봐. 내가 뭐랬어.'
　종혁은 경이롭다는 듯 보는 경찰 간부후보들을 보며 어
깨를 으쓱였다.
　추적이 급물살을 탔다.

　바다를 낀 작은 도시.
　챙이 둥글고 넓은 낚시 모자를 눌러쓴 안경 낀 삼십대
남성이 낚시 가방을 흔들며 바닷가로 향한다.
　그를 본 사람들이 혀를 찬다.

이제 겨우 5월, 아침 10시.

회사에 있어야 할 삼십대가 낚시를 하러 간다.

한심하지만 욕은 할 수 없다.

미래를 잃어버린 지 10년.

청년 실업은 익숙한 일이었다.

부우웅! 빵빵!

"귀신?"

깔깔깔!

2차선 도로 횡단보도 앞에 선 남성은 근처에 모여 있는, 육십대 경찰의 말에 아주머니들이 웃는 걸 힐끔 봤다.

"무라타 씨. 그런 거 믿을 나이 지났지 않아?"

"일주일 전에도 그런 걸 묻더니 이상해."

"아, 이젠 경찰이 귀신도 잡는 거야?"

까르르 웃음이 퍼진다.

경찰이 귀찮다는 듯 목을 긁었다.

"나도 귀찮아 죽겠어. 상부의 지시라 무시할 수도 없고."

"순사부장이면 무시해도 되지 않아?"

"그럼 내 연금은? 너희가 책임질 거야?"

경찰이 아니라 마치 할 일 없는 노인 같다.

'역시 일본 경찰은 무능해.'

입술을 비튼 사내는 신호등 기둥을 봤다.

야마다 히스노리라는 인물의 수배 전단이 붙어 있다.

사내의 입술이 더 비틀어진다.

"아무튼 전에 말한 3번지 폐가 말곤 없다는 거지?"

"응! 응!"

움찔!

노인 경찰의 시선이 몸이 크게 떨리는 그에게로 향한다.

사내는 횡단보도의 신호가 바뀌자 느긋이 발을 뗐다.

모든 신경을 등 뒤로 세우며.

"하, 거기 별거 없던데. 그리고 또?"

"에이. 그런 재미없는 거 계속 물을 거야?"

"벌써 한잔하자고? 안 돼. 나 혼나."

횡단보도를 건넌 그, 야마다 히스노리는 횡단보도 건너편 굴을 가공하는 공장 단지 좁은 길에 들어서자 참았던 숨을 탁 뱉었다.

방금 전까지 늙은 경찰의 시선이 따라붙었다는 것도 인식하지 못한 채.

"헉! 헉!"

'어떻게? 왜?'

왜인지 경찰이 폐가를 뒤지고 있다.

야마다 히스노리는 이틀 전 일을 떠올렸다.

누군가 다녀간 흔적이 있던 은신처.

발랑 까진 십 대들이 다녀갔나 싶었는데, 아니었던 것 같다.

"……들킨 건가?"

그는 고개를 저었다.

당장 어제까지만 해도 그 섬을 뒤지는 뉴스가 나왔다.

"아냐. 아직은."

증거라도 발견됐으면 매스컴이 득달같이 달려들었을 거다. 즉, 일본 경찰은 아직도 헛발질을 하고 있다는 것이다.

'그래도.'

"쯧. 옮겨야겠군."

그렇지 않아도 그 흔적 때문에 옮기려고 했는데, 오늘 당장 옮겨야 할 것 같다.

저벅저벅!

"아, 왜 하필이면 이런 길이야! 공장이잖아!"

"이쪽이 지름길입니다, 부장님!"

"아, 그래? 어이, 료타! 같이 가자고!"

아침부터 술에 취한 듯 휘청이며 다가오는 삼, 사십대 남자들.

반대편 저 멀리에서 휘청이며 멀어지는 두 남자들.

흠칫 놀라 고개를 돌렸던 야마다 히스노리는 한숨을 길게 내뱉으며 2미터 담벼락을 잡고 있던 손을 뗐다.

그리고 가까이 다가온 중년 남자들을 향해 낚시 가방을 휘둘렀다. 가까워지자 눈빛이 돌변하며 손을 뻗는 그들을 향해.

"야마다……."

빠아악!

"컥?!"

야마다 히스노리는 땅을 박찼다.

"자, 잡아! 료타!"

그 외침에 저 멀리서 걸어가던 이들이 몸을 돌린다.

'역시!'

직감이 맞았다.

왜인지 섬뜩해서 바로 공격했는데, 역시였다.

'대체 어떻게?!'

"야마다! 멈춰! 넌 포위됐어!"

맞은편에서 달려오며 외치는 경찰들.

외길의 앞뒤에서 달려온다.

왼쪽 공장에서도 경찰들이 쏟아져 나온다.

"야마다!"

사면초가다.

'빌어먹을!'

이를 악문 야마다는 땅을 박차 오른쪽 공장의 담벼락을 잡았다.

그렇게 몸의 반절이 담벼락 끝에 걸리고 경찰들의 손끝이 야마다의 허리에 닿는 순간이었다.

타다닥! 부웅!

야마다는 거대한 그림자가 치솟는 걸 느꼈다.

"까꿍이다, 이새끼야!"

"어?"

일본어가 아닌 이상한 말.

고개를 든 야마다가 발견한 건 거대한 누군가의 커다란 발이었다.

야마다 히스노리의 얼굴이 하얗게 질렸다.

빠아악!

　　　　*　　*　　*

　그로부터 2시간 전.

　참관을 허락받고 찾아온 종혁은 혀를 내둘렀다. 한 놈을 잡고자 백 명이나 되는 형사들이 모여 있었기 때문이다.

　"든든하네."

　"한상원 때도 이랬지?"

　보호자로 참관 허락을 받은 임성원 교수가 다가온다.

　그도 종혁이 한상원 검거에 큰 역할을 한 목격자 및 조력자라는 걸 안다.

　"한상원 때는 더 심했죠."

　그땐 200명이 넘는 형사와 경찰이 모였었다.

　달리기와 격투 실력이 웬만한 형사 저리 가라 한 놈인 점도 있지만, 형사들이 독이 제대로 올랐었기 때문이다.

　변장 능력은 또 어찌나 대단한지.

　당시 종혁이 아니었으면 놓쳤을 게 분명했다.

　"그랬어?"

　눈을 크게 뜬 임성원 교수는 이내 뭔가를 떠올리곤 혀를 내둘렀다.

　"그나저나 선진국 일본이라더니 그 말이 맞네."

　아무리 검거가 급한 놈이라지만, 지문 대조 결과가 고작 반나절 만에 나왔다. 머리카락에서 채취한 DNA 조사 결과도.

지급으로 보내야 삼 일. 아니면 함흥차사인 한국과 비교가 됐다.

"91년에 DNA 수사 기술을 도입했으면서도 왜 이리 지지부진한지. 전풍 때 그런 일 겪었으면 확 발전해야 될 텐데 말이야."

전풍 백화점 붕괴 사건.

당시 신원 미확인 사망자가 많이 발생했는데, 이때 DNA 수사 기술이 큰 활약을 했다.

종혁은 씁쓸히 웃었다.

"사건이 그만큼 많기 때문이죠."

"그건 맞지."

정확히는 국과수, 국립과학수사연구원의 규모가 작아서 발생하는 일이다.

조사 의뢰는 넘치는데 인력이 부족하다.

기술력의 문제가 아니라 제도적인 문제였다.

"그보다는 데이터베이스 구축이 우선이죠."

"데이터베이스?"

"DNA를 기반으로 한 범죄자 데이터베이스 구축이요."

"……아. 미국."

CIA나 FBI가 그런 걸 만들었다는 말을 얼핏 들은 적이 있다.

"흠."

종혁은 고민에 잠기는 임성원 교수를 보며 혀를 찼다.

'우리나라가 그걸 구축했을 때가 2010년이었나?'

인력 및 예산 부족으로 인해 말만 무성하다가 DNA 수사 기술이 지금보다 훨씬 더 발전한 2010년에나 완성된 일이다.

"이건 지금이라도 할 수 있겠는데? 가서 건의해 봐야겠군."

"예?"

종혁은 깜짝 놀랐다.

임성원 교수가 그의 팔을 쳤다.

"이야, 잘 말해 줬다! 역시 넌 달라도 다르구나!"

"……네?"

'이게 지금 된다고?'

"예, 예산이나 인력이 될까요?"

"뭐가 문제야. 한 달에 한 교도소씩만 훑어서 등록해도 3년 안에 끝나는데."

'진짜 돼? 그럼 회귀 전에는 왜?'

"음음. 확실히 이건 생각지 못한 문제였어."

지문을 기반으로 한 범죄자 데이터베이스는 이미 구축이 되어 있다. 대조하는 데 시간이 오래 걸려서 그렇지, 온전한 지문만 나오면, 그리고 그 지문이 기존 범죄자의 것이면 범인은 바로 찾을 수 있다.

단순히 아직까지는 데이터베이스 구축에 관해 생각을 못했던 것이다.

'그런 문제였다고?'

종혁은 정신을 차리지 못했다.

하지만 굉장히 일리가 있는 말이었다.

필요성의 차이, 간절함의 차이였다.

"하지만 아직 DNA 증폭 기술이 미흡해서 완벽한 유전자 정보를 확보하지 못할 텐데요?"

"그런 것도 알아?"

임성원 교수는 혀를 내둘렀다.

'이놈 진짜 미쳤네?'

머릿속에 든 게 웬만한 교수보다 수준이 높다.

"그게 무슨 문제야? 기술이 발전하면 그때 또 등록하면 되지. 내가 힘드나? 법무부랑 국과수 애들이 힘들지?"

그건 맞는 말이다.

"이거 일본 애들 수사를 구경하다가 좋은 걸 떠올렸네. 정말 잘 말해 줬다!"

"하하."

종혁은 머리를 긁적였다.

얻어 걸린 것이기 때문이다.

'일본에 온 소득이 있네.'

임성원 교수의 말처럼 일본에 와서 한국의 상황과 비교하지 않았다면 생각하지 못했을 일이다.

'잘됐네. 이쪽에도 투자를 해야겠어.'

기술이 발전할수록 범죄자를 더 빨리 잡는 법이다.

'그 조직도.'

종혁의 눈이 불타올랐고, 임성원 교수는 흡족히 웃으며 고개를 끄덕였다.

"교수와 생도인데도 굉장히 친하시군요."

"아, 무로이 씨."

종혁은 경찰 간부 교육을 받는 그가 이 자리에 있는 것이 의아했다.

'상부에 지인이 있나? 하긴.'

회귀 전 무로이는 45살이라는 젊은 나이에 경시청 형사 제1부장이 됐다.

그가 아무리 유능해도 끈이 없다면 불가능한 일이다.

"어떻습니까, 저희 일본 경찰의 수준은?"

"모두 백전노장 같네요. 훌륭합니다."

"하하하! 감사합니다."

'왜 이래?'

칭찬을 바라던 아이가 원하는 칭찬을 들은 것처럼 반응한다.

종혁과 임성원 교수는 떨떠름했다.

"그럼 이곳에서 지켜봐 주시길. 저희 일본 경찰의 레벨을 알려 드리겠습니다."

정중히 고개를 숙인 무로이는 물러났고, 이내 10명의 형사를 제외한 나머지 형사들이 공장을 우르르 빠져나갔다.

종혁은 눈을 껌뻑였다.

"저만 뽐내고 싶어 안달 난 소년 같다고 느끼는 건 아니죠?"

"쉿. 그런 말은 입 밖으로 내뱉는 거 아냐."

'아, 교수님도 같은 걸 느꼈구나. ⋯⋯아니, 대체 왜?'

둘은 고개를 모로 기울였다.

"아, 그보다 그거나 연구하자."

프로파일링과 행동심리학.

"여기서요?"

"배움에 때와 장소가 어디 있어, 라고 말하고 싶지만 시간 죽여야지."

"아, 그건 맞죠."

놈이 언제 나타날지 모른다.

다행히 CCTV가 있어 확인을 했는데, 보통 9시에서 11시 사이에 이곳에 등장했다. 즉, 아직도 최소 2시간은 남았단 소리다.

"이것도 알아?"

"예?"

"아, 아니야."

'이놈 진짜 타고났네!'

임성원 교수는 고개를 저었다.

한편, 형사들과 함께 공장을 빠져나온 무로이는 입술을 깨물었다.

"우리들의 레벨을 알려야 해."

그래야 같은 위치에서 당당히 배움을 청할 수 있다.

그래야 서로 보완하며 더 나아갈 수 있다.

'꼭!'

백 명이나 동원한 것이 살짝 걸리지만, 어찌 됐든 꼭 자신들의 손으로 잡아야 했다.

무로이의 눈이 불타올랐다.

그리고 세 시간이 흘러 놈이 등장했다.

임성원 교수와 대화를 나누던 종혁은 순간 입을 다물었다.

그건 임성원 교수도 마찬가지다.

'왔다.'

이쪽 공장으로 도주할 걸 대비해 건물과 건물 사이에 숨은 형사들의 움직임이 갑자기 부산스러워진다.

그 순간.

"자, 잡아! 료타!"

눈을 동그랗게 뜬 종혁과 임성원 교수가 서로를 봤다.

'실패?!'

종혁은 다급히 귀를 기울였다.

타다닥!

'저쪽!'

종혁은 반사적으로 땅을 박차며 담벼락을 따라 달렸다. 그건 임성원 교수도 마찬가지였다.

형사로서의 본능이 몸을 움직인 거다.

뒤늦게 일본 형사들도 다급히 달렸다.

그러나 늦다.

그들은 저만큼 앞서 달리는 종혁의 모습에 이를 악물며 속력을 높였다.

'빌어먹을!'

'제기랄!'

밥상을 차려 줬는데, 떠먹는 것까지 못할 수는 없었다.

한국, 일본이 문제가 아니라 형사로서의 자존심 문제다.

그 순간 형사들이 탄성을 터트렸다.

탈옥범 야마다의 얼굴이 이쪽 담벼락을 넘어온다.

그것도 종혁의 앞쪽에서.

"칙쇼오!"

"제발 더 빨리…… 어?"

무언가를 본 형사들은 본인의 의지와 상관없이 걸음을 멈췄다.

타다닥!

거의 2미터의 거구가 벽을 발로 차며 달린다.

그들이 눈을 비빌 때 담벼락을 내달린 종혁은 이제 막 상체를 걸치다 자신을 보며 놀라는 야마다를 보며 씩 웃었다.

"까꿍이다, 이 새끼야!"

종혁은 그대로 놈의 턱주가리를 돌려 차 버렸다.

* * *

경시청의 상황실.

경시장 이상 최고위 간부들이 현장에서 전해진 소식에 얼굴을 구긴다. 사건이 사건인지라 모두 한자리에 모였다.

"그러니까, 범인이 본토로 도망쳤다고 제시한 것도 한국, 차량으로 도주했을 거라 추측한 것도 한국, 빈집에 숨어 있을 거라 말한 것도 한국."

"그런데 놈을 잡은 것도 한국이라고?"

그것도 일본 유도협회장이 꼭 손을 봐 달라고 부탁한 최종혁이다.

최고위 간부들의 얼굴이 와락 구겨진다.

쾅!

"망신도 이런 망신이 있나!"

"매스컴에서 신나게 떠들겠군."

"이거 어쩔 거야, 켄타!"

경시청 형사제2부장 무로이 켄타 경시감은 질타를 받으면서도 여유롭게 담배를 물었다.

"어쩔 수 있겠습니까. 인정해야죠."

"뭐?!"

"지금 그걸 말이라고!"

"자네가 그런 말을 할 줄이야! 실망이군!"

무로이 경시감은 혀를 찼다.

"우리가 언론을 통제해도 한국에서 터질 겁니다. 이미 유도협회 때문에 격이 떨어지는 행동을 했는데, 또 하실 생각입니까?"

"······."

얼굴을 더욱 구긴 최고위 간부들은 담배를 물었다.

맞는 말이다.

이미 일본 경찰로서 치사하고 수치스러운 일에 동조했는데, 이번에도 종혁을 협박해 경시청이 야마다를 검거한 걸로 치자고 말할 수는 없다. 무로이 경시감의 말처럼 격이 떨어지는 행동은 한 번으로 족했다.

"그래서?"

"이번 검거에 한국이 작은 도움을 줬다 말을 맞추는 겁니다."

"작은?"

"흠."

구미가 당기는 말이다.

인정해야 된다면 되도록 지분을 적게 만들어야 한다.

"다만 그런 거래를 위해서 저희도 내놓아야 할 건 내놓아야겠죠."

"이를테면?"

"일본으로 도망쳐 온 한국 범죄자들의 위치."

"……호?"

최고위 간부들의 눈에 흥미가 어린다.

하지만 무로이 경시감의 말은 끝나지 않았다.

"거기에 야쿠자 비호를 받는 놈들도 모두."

"아니 그것까진…….."

"한번 줄 때 크게 줘야 욕먹지 않는 겁니다. 이번 기회에 대인배적인 면모를 보여 주시죠."

대인배.

그 단어가 그들의 마음을 자극했다.

폐를 끼치는 걸 싫어하는 만큼, 보여지는 걸 중요시 여기는 일본의 문화, 체면 중시 문화가 여기서도 작용한 것이다.

"대인배라…… 좋아. 거기에 과학수사 기술 교류까지

올리지.”

“경시총감님!”

경시총감. 명실상부 일본 경찰 조직의 정점이다.

간부들의 엉덩이가 들썩였다.

“요시노리, 어차피 한국 기술이 우리를 거의 따라잡았어. 인정할 건 인정하자고.”

“……생색을 내자는 겁니까?”

“그렇게라도 안 하면 무너진 체면을 세울 수 있나?”

경시총감의 눈에 은은한 분노가 서려 있다.

그도 이 어이없는 상황에 화가 나는 중이었다.

‘언제부터 우리 경시청이!’

지방서도 아니고 경시청이 망신을 당했다.

그는 겨우 참아 내고 있는 중이었다.

“……”

그걸로 끝이다.

경시총감은 박수를 쳤다.

“그럼 그렇게 하는 걸로 하고 다들 일어서지. 점심시간이야. 얼른 먹고 휘둘러야지.”

일어선 경시총감이 골프 스윙을 한다.

“하하하. 그러실까요?”

“켄타. 얼른 마무리하고 와.”

“예, 먼저 가 계십시오.”

나가는 간부들을 본 무로이 경시감은 한숨을 뱉었다.

“아들놈 유학 보내기 힘들군.”

무로이 경시감이 이런 결정을 내린 데에는 무로이 코헤이의 영향도 있었다.

그렇게 푸념하는 그에게 한 간부가 다가섰다.

"켄고."

경시청 형사 제1부장.

동기이자 친구다.

"원래 한국 범죄자들의 위치를 알려 주려 한 거지?"

날카로운 질문이다.

그러나 무로이 경시감은 흔들리지 않았다.

정말 그러려고 했기 때문이다.

"오세치 같은 밥상을 차려 줬는데, 입 닦고 넘어가자고?"

일본의 신년 기념 요리 오세치.

"지방서도 아닌 우리 경시청이?"

처음부터 끝까지 다 했지만, 종혁은 단 한 번도 무언가를 요구한 적이 없다. 뽐을 낸 적도 없다.

일본 유도가 밟힌 것보다 그게 더 자존심 상한 그였다.

그뿐만 아니라 피해자 유족이자 친구에게 온전히 말할 수도 없다. 무로이 경시감이 이런 결정을 내린 데에는 참 많은 이유가 얽혀 있었다.

"그건 맞지. 지방서는 그래도 우리 경시청은 안 되지."

경시청은 결코 체면이 상해서는 안 된다.

경시청은 실패를 하면 안 된다.

경시청은 모든 방면에서 모범이 되어야 한다.

이게 수십만 일본 경찰의 정점인 경시청의 자긍심이자

자부심이며, 이걸 지키기 위해서라면 무슨 일이든 할 수 있는 게 그들의 각오다.

"알았어. 먼저 갈 테니 대충 마무리하고 넘어와. 사건은 이것 하나뿐만이 아니잖아."

"알았으니까 얼른 가기나 해. 번잡해."

"나쁜 놈."

동기가 투덜거리며 떠나자 그는 상황 진행을 알기 위해 전화기를 들었다.

그때 핸드폰이 울렸다.

지이잉! 지이잉!

아들의 전화번호였다.

"어이구."

받지 않아도 무슨 말을 할지 알 것 같은 전화.

"정말 아들놈 키우기 힘드네. 다른 놈들은 어떻게 두셋씩 키우는 거야?"

그는 혀를 차며 전화를 받았다.

─아버지!

자존심이 상해 술을 마셨는지 혀가 꼬여 있다.

'……지금이라도 엄하게 가르쳐야 하나?'

그는 이번에도 심각하게 고민했다.

* * *

"그땐 먼저 가서 죄송합니다. 후처리 때문에."

아니다.

백 명이나 동원했음에도 결국 범인을 검거하지 못했다는 사실이 쪽팔려서 아무 술집이나 들어가 술을 펐다.

'내가 미쳤지!'

그리고 정신을 차려 보니 아버지에게 전화한 기록이 있었다.

"하하. 아닙니다. 그러실 수 있죠."

"……감사합니다."

한숨을 폭 내쉰 무로이 코헤이는 낯빛을 굳혔다.

"그리고 당신을 뵙고자 하는 분이 계십니다."

"저를요?"

'누가?'

아무리 생각해도 짐작 가는 사람이 없다.

"야마다에게 당한 여인의 유족, 그녀의 아버지입니다."

"……아."

"시간을 내주실 수 있으십니까?"

"끙."

종혁은 골치 아프게 됐다는 듯 머리를 긁적였다.

피해자 가족을, 그것도 유족을 만난다는 건 언제나 마음 아픈 일이다.

조금만 일찍 잡았다면 하는 죄책감 때문이다.

볼 면목도, 할 말도 없다.

그러나 만나지 않을 수 없다.

범인이 어떻게 잡혔고, 어떻게 처벌받을지 알려 주어 그들의 한을 풀어 주는 것도 형사가 할 일이었다.

실제로 이걸 못 해서 형사를 관두고 교통계나 일선 파출소로 전출 가는 이들도 있을 정도다.

"여깁니다."

시부야 어느 작은 건물 지하의 작은 바.

"시라사기? 해오라기?"

"이곳의 주인이 새를 좋아합니다."

그렇다면 이해할 수 있다.

"그런데 점심인데도 문을 열었군요."

"마음의 위안을 바라는 사람은 낮에도 있으니까요."

"낮술 즐기면 술꾼 아닙니까?"

"……들어가시죠."

무로이 코헤이는 문을 열었다.

"마스터, 저 왔습니다."

와이셔츠와 조끼를 입은 중후한 외모의 오십대 장년인이 마른 천으로 컵을 닦고 있다.

피식 웃으며 뒤따르던 종혁은 '오!' 하고 감탄했다.

뭔가 있어 보이는 듯한 분위기도 있지만, 바텐더가 여자가 아니었다.

'하긴 바는 이런 곳이지.'

한 잔의 술을 걸치며 속에 담긴 이야기를 털어놓는 곳. 그런 곳이 바였다.

종혁과 무로이가 자리에 앉자 장년인은 말도 없이 술을

제조하기 시작했다.

"와."

주둥이가 넓은 작은 잔에 붉은빛의 술이 따라진다.

그리고 그 위로 주황빛의 술이 따라지고, 또 노란색의 술이 따라진다.

그런데 서로 섞이지 않고 층을 이룬다.

이 놀라운 광경에 종혁과 무로이는 시선을 뺏겼다.

작은 술잔 안에 피어나는 일곱 가지 색의 무지개.

딱!

술잔 위로 불의 꽃이 피어난다.

그리고 장년인의 입이 열렸다.

"이 레인보우 칵테일에는 사랑하는 사람, 존경하는 사람, 친구가 옆에 있을 때 이 칵테일을 시켜 놓고 바라는 것을 마음속으로 기도하면 소망이 이루어진다는 의미가 있습니다. 제 경우에는 존경하는 사람, 감사한 사람이겠군요. 부디 소원을 빌어 주시길."

"아."

작은 술 한 잔에 그의 마음이 전해진다.

범인을 잡자 자식을 지키지 못한 한이 조금은 풀어졌을 것이다.

그동안은 슬픔을 안고 죄책감에 괴로워하며 살아왔을 것이다.

그것이 부모이기에.

자식을 가슴에 묻고 겨우 살아왔을 것이다.

그런데 범인이 탈옥을 했다.

겨우 봉합한 상처가 다시 터지고 썩어 들어갔을 거다.

종혁은 그 마음을 이해할 수 있었다.

가슴이 무거워진 종혁은 화려한 술과 그 위에 피어난 불꽃을 보며 잠시 눈을 감았다가 떴다.

"후."

꿀꺽!

입김으로 불을 끄고 단숨에 들이켠 종혁은 고개를 숙였다.

"잘 마셨습니다."

작게 웃은 장년인이 다시 술을 제조했다.

"한국의 경찰 간부후보생이라고요."

"이제 2학년입니다."

"경찰이 되실 생각이십니까?"

"예."

'잡아야 할 놈들이 있으니까!'

종혁의 눈에 불똥이 튀었다.

"……눈빛이 좋으시군요. 꼭 옛날, 정의감 넘치던 한 애송이 형사가 떠오릅니다."

"하하. 그러십니까?"

"무로이 켄타라는 친구죠."

"무로이?"

아버지 이야기에 호기심이 차오르던 무로이 코헤이가 머리를 긁적였다.

"제 아버지십니다."

"오. 아버님도 형사…… 어? 설마?"

"예. 저번에 보셨던 경시청 형사제2부장 경시감님이 제 부친 되십니다."

종혁은 화들짝 놀랐다.

'그런 관계였어?'

그제야 무로이 코헤이의 초고속 승진이 이해된다.

45세에 경시청 형사제1부장이 되는 무로이 코헤이 경시감.

세계 어느 나라, 어느 조직이든 단순히 능력이 뛰어나다고 해서 그런 진급은 할 수 없다.

'이래서 이번 검거에 날 참가시킬 수 있었던 거구나. 아, 이건 좀 부럽네.'

위로 향해야 하는 종혁으로선 많이 부러웠다.

하지만 그건 본인의 일일 뿐이었다.

"힘드시겠네요. 아버님의 눈높이에 맞추려면."

한국으로 치면 치안정감이 경시감이다.

자식이 뭘 해도 눈에 차지 않을 거다.

무로이 코헤이는 눈을 빛냈다.

여태껏 정체가 밝혀졌을 때 이렇게 반응한 사람은 처음이기 때문이다.

"열심히 할 뿐입니다."

"뭐, 고생하십시오. 힘드시겠지만."

"하하. ……예, 감사합니다."

탁! 탁!

두 개의 술잔을 내려놓는 장년인이 웃는다.

"두 분의 모습을 보니 그 친구와 어울리게 됐을 때가 떠오르는군요. 저도 켄타도 그땐 젊었죠. 이 아메리칸 뷰티처럼 두 분도 다른 나라, 다른 멋의 서로에게 반하면 좋겠습니다."

'이야. 말 잘하시네.'

이게 진짜 바인가 싶었다.

"뭐, 이렇게 말해 주시니 건배하시죠."

무로이 코헤이는 기본적으로 좋은 사람이다.

미래 최고위 간부가 확정이지만, 그보다는 좋은 사람.

종혁은 회귀하며 놓았던 옛 인연의 끈을 다시 잇기로 했다.

"……그러죠."

챙!

술잔이 부딪치며 인연의 끈이 이어졌다.

장년인은 증인으로서 그 모습을 흡족히 보았다.

"멋진 광경입니다."

종혁은 왠지 쑥스러워 말을 돌렸다.

"그런데 무로이 경시감께서도 젊었을 적엔 꽤 힘드셨나 봅니다. 이런 곳에도 들르시고."

장년인의 눈이 순간 아련해진다.

"아니요. 절 잡으러 왔었습니다."

"……예?"

"혹시 쿠로사기라는 단어를 아십니까?"

"쿠로사기? 흑로? ……아, 그거 일본 사기꾼을 총칭하는 단어 아닙니까?"

무로이도 고개를 끄덕였다.

현재 일본은 이 쿠로사기들 때문에 병들고 있는 중이었다.

'어, 설마……?'

장년인은 씁쓸히 웃었다.

"예. 전 범죄자였습니다. 그것도 쿠로사기들을 서로 연결시켜 주고 때론 설계도 해 주는 브로커였습니다."

설계자. 브로커.

종혁에겐 낯설지 않은 단어다.

사기엔 언제나 설계자가 있기 마련이다.

"그렇다면 지금은……."

"딸아이가 소학교에 진학한 후 묻더군요. 아빠 직업이 뭐냐고."

소학교. 한국으로 치면 초등학교다.

뒷이야기가 짐작이 간 종혁은 가슴이 무거워졌다.

사람들 눈에서 피눈물을 뽑았지만, 지금은 회개하고 성실히 살아가는 사람이다.

그게 아니라면 무로이 경시감이 아직까지 인연을 이어 올 리 없다. 지금만큼은 그 아픔에 공감이 갈 수밖에 없었다.

"천벌을 받았다 생각하시진 않았으면 좋겠습니다."

"……감사합니다."

눈가를 훔친 장년인이 옅게 웃었다.

"좋은 광경을 목격도 했으니 이제 제 선물을 드릴 차례 군요."

"예? 아뇨. 이 술로도 충분합니다."

종혁은 절대 그러지 말라며 손을 저었지만, 장년인은 바 아래서 두꺼운 종이 뭉치를 꺼냈다.

"80년대부터 현재까지 쿠로사기의 수법을 담은 설계도 면입니다. 보아하니 한국은 일본보다 좀 느리더군요."

"……예?!"

눈이 동그래진 종혁은 장년인이 내미는 종이 뭉치를 다급히 받아 들었다.

장년인의 말이 정말이라면, 이건 거의 성경, 예언서, 지침서다.

사기총론이라고 불러도 무방하다.

하지만 종혁은 이내 곧 작게 실망했다.

'아, 다 아는 거네.'

미래에 유행하는 피싱 사기는 있지도 않다.

'뭐 그래도 주신 거니까…….'

종혁은 이 내용을 알지만, 일선 형사들은 모른다.

잘만 쓰면 꽤 좋은 일이 생길 것 같았다.

그런데 아직 장년의 말은 끝나지 않았다.

"그래서 그런지 한국에서 배우러 오는 이들도 있다더 군요."

종혁의 고개가 번쩍 들렸다.

"한국에서 말입니까? 한국인이?"

"예, 한국인이. 그렇게 들었습니다."

"호오."

순간 종혁의 눈이 가늘게 뜨였다.

"그거 좀 자세히 말해 주실 수 있겠습니까? 이왕이면 배운 놈이 누군지까지."

종혁의 미소가 살벌해졌다.

감사 인사를 받으러 왔다가 생각지도 못한 소득을 올리게 됐다.

* * *

생각지도 못한 소득은 하나 더 있었다.

한 달의 연수를 마치고 돌아가는 귀국길의 공항.

"다음에 또 보자."

그날의 일로 친해진 무로이 코헤이가 악수를 청해 온다.

그의 뒤로 경시청 간부나 경찰대 간부후보들도 있다.

오늘 한국으로 돌아가는 종혁 일행을 배웅하기 위해서다.

"그땐 일이 아니라 사적으로 봅시다, 쿄 형."

"하핫. 그래, 사적으로."

"몸조심 잘하고. 괜히 칼 든 범인에게 맨몸뚱이로 덤비지 말고."

"너도 총 든 범인에게 달려들지 말고."

"한국엔 총 거의 없어."

"그건 좀 부럽군."

서로의 어깨를 토닥인 둘은 그렇게 이별을 고했다.

　언젠가 서로 다시 만날 걸 알기에 그들은 미련 없이 등을 돌렸다.

　그렇게 공항 안으로 들어가니 어떤 인물들로 인해 굉장히 시끄러웠다.

　"아, 씨바. 놔라."

　"어이, 형사 양반. 이것 좀 풀어 봐. 오줌 마려워."

　수갑을 찬 채 껄렁거리는 백여 명의 범죄자들.

　일본으로 도망친 흉악범들.

　일본 경찰이 준 생각지도 못한 소득이다.

　'거참, 많기도 하다. 얼씨구? 저놈 망치잖아?'

　부산 전국구 조직의 간부급 조직원도 있다.

　"아, 씨발! 안 놔?! 놔 봐, 좀! 이러다 싼다고!"

　"아, 안 돼! 가만히 있어!"

　"야 이 개새끼야! 이러다 싸면 니가 책임질 거야?!"

　이십대 후반의 형사가 큰 덩치를 지닌 범죄자에게 쩔쩔맨다.

　종혁은 그의 뒤통수를 있는 힘껏 후려쳤다.

　빠아악!

　비명도 못 지르고 그대로 무너지는 덩치.

　박 터지는 소리에 소란이 잠시 잦아들었다.

　종혁은 범죄자들을 찢어 버릴 듯 훑어봤다.

　"아가리 싸물어. 확 다 찢어 버리기 전에."

　범죄자들은 다급히 시선을 피했다.

"씨벌 놈들이 어디서. 쯧."

젊은 형사가 종혁을 멍하니 보았다.

"괜찮냐, 종혁아! 손 안 다쳤어?"

김종두 과장이 호들갑을 떨며 다가온다.

그의 입가가 함지박만 하게 찢어져 있다.

오늘 일, 단순한 범죄자 인도가 아니다.

한국 경찰이 직접 잡게 해 줬다.

한국 경찰의 위신이 제대로 서는 날이었다.

그리고 이걸 종혁이 해 줬다.

"어디 봐 봐. 어…… 괜찮네?"

빨갛게 변색된 곳도 없다.

"겨우 이런 걸 가지고 뭘요. 괜찮아요."

"그래, 인마. 너 같은 보물은 함부로 범죄자 때리고, 어? 그러다 다치면 안 돼. 알았지?"

"아하하."

"아주 물고 빨고 지랄 났다. 왜? 포대기 채워서 업고 다니지?"

"그럴까? 종혁아, 업힐래?"

김종두 과장과 비슷한 연배의 형사 두 명이 다가온다.

"광수대 대장 손원호다."

"마약반 과장 신창호다."

종혁은 다급히 거수경례를 했다.

본청 광역수사대와 마약반.

본청에서 끗발 좋기로 둘째가라면 서러워하는 메이저

수사과.

이번 일에 특수범죄수사대뿐만 아니라 광역수사대 마약반 전원이 차출됐다.

"충성. 경찰 간부후보생도 최종혁."

"에이. 뭔 인사야. 편히 해, 편히."

"그래. 그냥 삼촌이라고 생각하고 편히 해."

둘이 푸근히 웃으며 종혁의 위아래를 훑는다.

그들의 머릿속에 종혁이 저지른 일, 아니, 해결한 사건들이 떠올랐다.

"임용 후에 일할 곳 선택했니?"

"혹시 현장에서 뛰는 거 좋아해? 우리 광수대 어때? 전국을 쫙 누비면서 연쇄살인 같은 초강력 사건 해결하고, 어?"

김종두 과장이 펄쩍 뛰었다.

"눈독 들이지 마, 이 자식들아! 종혁이는 내가 찜했어!"

"에이. 그건 네가 찍은 거지, 우리 종혁이가 선택한 건 아니잖아. 그치?"

"그러엄. 종혁아. 혹시 나이트클럽 좋아하니? 마약이 그런데 나돌거든? 가서 쿵쾅쿵쾅 소리에 춤추다가 어?"

"우, 우리?! 야, 광수대! 넌 니 새끼나 신경 써! 방금 전 못 봤어?! 저런 물 풍선 덩어리 따위에게 쩔쩔매기나 하고! 이야, 잘한다, 광수대! 아주 경찰의 모범이야! 마약반 너도 씨!"

광수대 대장이 젊은 형사를 죽일 듯 노려보고, 식겁한

젊은 형사는 종혁을 째려봤다.

종혁은 선배의 눈빛에 슬그머니 고개를 돌렸다.

이십대에 본청 광수대 대원이면 경찰대학교 졸업생이 분명했다.

종혁은 임성원 교수와 3, 4학년 선배들에게 살려 달라는 눈빛을 보냈지만, 곧 포기해 버렸다.

임성원 교수는 마냥 흐뭇이 웃고 있었고, 선배들은 부럽다는 듯 쳐다볼 뿐이었다.

"내 보물이라고!"

"어허. 우리 종혁이가 선택할 일이라니까. 너 이거 협박이야."

"종혁아, 마약반 좋다."

"우리라고 하지 마, 짜샤―!"

'하. 좋은 주먹 두고 왜 말로 싸우는지.'

종혁은 지연되는 출국에 한숨을 길게 내쉬었다.

2장. 철수야 놀자

철수야 놀자

한국 경찰이 해냈다!

일본 도피 범죄자 117명 검거!

해외 도피 하지 마! 도망쳐 봐야 잡힌다!

일본도 인정한 한국 수사 기법!

하지만 아직은 부족한 과학수사. 예산이 부족하다!

그들이 돌아온 날 난리가 났다.

그 며칠 전에 올림픽대교에서 생긴 헬기 추락 사고가 전국에 충격을 줘서 그런지, 언론은 해당 일을 더 시끄럽게 다루었다.

-크. 진짜 그때만 생각하면!

아직 해가 지지 않은 오후 6시, 신성일 감독은 벌써부터 취했는지 혀가 꼬여 있다.

"하하."

─역시 우리 종혁이! 일본 유도를 정벌한 우리 종혁이!

그러니까…….

"참가 안 합니다."

곧 있으면 베이징에서 열릴 하계 유니버시아드 대회.

종혁은 불참을 선언했다.

─아, 왜─! 국대 주장이 넌데 왜에에!

"애들 노는 데 어른이 가면 안 되죠.

─너 이제 스물두 살이다, 인마!

"할 일도 있고요."

─……할 일?

"국토 여행이요. 정규 커리큘럼입니다."

─엥?

국토 여행이나 봉사 활동.

이건 경찰대학교의 정규 커리큘럼이다.

방학 중 '소통과 도전'을 주제로 자율 계발 활동 실시

및 대학생 간의 경험 공유.

경찰대학교 2학년들은 무조건 해야 된다.

'다른 할 일도 있고요.'

이번 국토 여행은 정규 커리큘럼 때문에 택한 게 아니다.

─도전…… 아니 뭐…… 그건 겨울에…… 아, 얼어 죽

겠구나.

겨울에 국토 종주를 안 하는 이유가 뭐겠는가.

여름엔 일사병과 탈수만 조심하면 어떻게든 버틸 수 있

지만, 겨울에는 생존 문제다.

"올림픽 금메달 딴 놈이 유니버시아드에 출전하는 건 도전이 아니잖아요."

맞는 말이었다.

-코스는 어떻게 하려고?

"용산역에서 출발해 강원도, 경상도, 전라도 거쳐 판문점에서 끝나는 코스예요. 약 6주 정도 잡고 있어요."

판문점은 미리 견학 예약을 했다.

-어이구. 완전히 크게 도는 거네. 자전거?

"그렇죠."

신성일 감독이 옛 추억에 젖는다.

한참 혈기가 넘치던 이십대 시절, 친구들과 허름한 배달 자전거를 끌고 전라도 해남까지 찍고 왔던 아련한 추억.

그땐 뭔 미친 생각으로 그런 짓을 했나 싶지만, 지금은 술자리에서 곱씹는 소중하고도 아름다운 추억이었다.

-끙, 알았어. 그렇다면 어쩔 수 없지.

제자의 도전이다.

괴물 그 자체인 피지컬의 종혁이라도 한계를 시험할 도전.

이번 도전이 종혁의 몸과 마음을 성숙하게 할 것이기에 신성일 감독은 포기할 수밖에 없었다.

-지도는 챙겼고? 텐트는?

"다 구했으니 걱정 마세요. 물도 챙겼습니다."

-라면 같은 건 그 동네에서 사. 짐을 최소화해야 완주할 수 있을 거야.

"조언 감사합니다."

—그래. 잘 다녀오고. 도가니 나갈 것 같으면 포기하고. 네 몸은 네 것만이 아니야.

"걱정 마세요."

조금 더 통화를 한 종혁은 용산역으로 향했다.

"종혁아!"

"혁!"

손을 막 흔드는 소영과 수호, 이리나.

자전거 여행을 떠난다는 말에 기어코 참석했다.

중고등학생이라 참가할 수 없는 현석과 희진 남매를 대신해 경찰대 동기 다섯 명도 있었다.

"서로 인사들 했어?"

"뭐……."

종혁은 피식 웃었다.

'그래. 아직은 내외할 때지.'

예쁘고 몸매 좋은 소영과 이리나가 있기에 더.

특히나 이리나는 어디서 구했는지 착 달라붙는 사이클 선수 복장까지 하고 와서 남성들의 심장을 공격했다.

여자 동기도 미모가 대단했다.

그래서 서로가 어색할 것이다.

하지만 며칠 후부터는 달라지게 될 것이다.

그때부터는 힘든 싸움을 함께 헤쳐 가는 전우가 될 테니 말이다.

"일단 코스부터 다시 점검하자."

각자 지도를 펼쳤다.

아직은 GPS가 보급화되지 않은 시기.

네비게이션조차 없다.

"처음 10일 동안 강원도를 여유롭게 도는 거 모두 찬성하지?"

모두 고개를 힘차게 끄덕였다.

계곡에서 텐트 치고 고기도 구워 먹고.

해변에서 헤엄치고 회도 먹고.

산골 마을을 둘러보며 봉사 활동도 하고.

"크. 죽인다, 죽여!"

"회비 넉넉히 가져왔으니까 걱정 마!"

그들의 머릿속에 꽃밭이 펼쳐졌다.

하지만 사실 이번 여행은 냅다 자전거만 타는 게 아니었다.

종혁은 마냥 좋아하는 그들에게 약간 미안했다.

산골 마을 봉사 활동.

그가 집어넣은 이번 여행의 진짜 목적이다.

국토 종주 및 우정 다지기는 겸사겸사다.

시라사기의 마스터가 말한, 사기를 배웠다는 한국인 중 한 명의 이름이 낯이 익었다.

그래서 알아보니 한 인물이 나왔다.

'그래, 이맘때쯤이었지.'

이 시기, 전 국민은 한 아이를 사랑했고, 그 아이의 불행 때문에 슬퍼한다.

자신들의 동정이 결국 그 아이를 망쳤다는 죄책감 때문이다.

'결코 국민들의 잘못이 아니었음에도.'

종혁이 이를 악물었다.

'아동 후원 사기.'

정확히는 후원 사기다.

처벌할 수 있는 관련 법령이 애매한 걸 노린 엿 같은 수법이고, 미래에도 횡횡하는 수법이다.

이게 일본에서 넘어온 수법이었을 줄은 꿈에도 생각 못한 종혁은 주먹을 꽉 쥐었다.

'아무튼 이 새끼. 이번엔 꼭 잡는다.'

회귀 전 미꾸라지처럼 빠져나간 놈.

하지만 설계도면을 확보한 이번엔 다를 것이다.

"좋아. 코스 점검은 여기서 마치고. 다들 안전모와 보호 장구는 착용했지?"

동기와 친구들이 팔꿈치, 무릎, 머리를 두드리며 씩 웃는다.

안전을 위한 최소한의 보호 장구들.

"그래, 출발하자."

고개를 끄덕인 그들은 자전거에 올랐고, 그렇게 국토 종주가 시작되었다.

* * *

좌아악!

여름의 뜨거운 햇빛과 무더운 바람을 꿰뚫으며 자전거

들이 나아간다. 중간중간 국도에 내리는 한여름의 소나기가 그들의 도전을 돕는 것 같았다.

빵빵!

"친구들끼리 여행 가나 봐!"

열심히 손잡이를 돌려 창문을 연 중년 남성이 부럽다는 듯, 대견하다는 듯 쳐다보며 응원한다.

"네ㅡ!"

"역시 젊음이 좋아! 자, 이것들 좀 먹어 가면서 해!"

봉지에 담긴 시원한 음료수가 전해진다.

이럴 땐 잠시 멈춰 가볍게 음료수 타임을 가진다.

이렇게 고마운 사람들이 있는 반면.

"워후! 우린 차 타고 여행 간다! 부럽지ㅡ!"

"얼마나 돈이 없으면 자전거를 타고 여행해? 수고해라, 거지들!

싸가지가 바가지인 놈들도 있다.

ㅡ저! 저!

ㅡ이 새끼들이 누굴 진짜 거지로 아나!

ㅡ야! 저거 따라잡아! 제쳐 버려!

ㅡ최종혁! 고!

'제치긴 뭘 제쳐, 이 자식들아.'

그래도 앞뒤 안 가리고 지르고 보려는 젊은 혈기에 절로 젊어지는 기분이다.

종혁은 두꺼운 팔뚝에 찬 무전기를 들었다.

"이리나, 선두로."

-라져!

바람을 정면으로 맞는다는 건 체력을 많이 소모하는데, 그 체력 소모를 줄이기 위해 이렇게 일정 시간마다 선두를 교체하는 중이었다.

-종혁아, 나도 선두로 갈게. 수고했으니까 넌 뒤로 빠져.

-아냐! 내가 갈게!

정색하며 걱정하는 남자 동기들의 말에 종혁은 씩 웃었다.

"시끄러워."

-응? 난 괜찮아. 보여진다고 안 닳아!

-……종혁아-!

촤아악!

읍보다 훨씬 작은 마을.

9대의 자전거가 멈춰 서며 사람들 이목을 끈다.

외지인은 잘 오지도 않는 마을인 데다 일행 중 외국 여성이 있기에 더욱 그렇다.

가장 먼저 자전거에서 내린 소영이 이리나를 향해 달려간다.

짝! 짜악!

"이년! 이년! 이 칠칠치 못한 년!"

"아파! 아파요, 엄마!"

"시끄러워-! 넌 옷부터 갈아입어!"

여자 동기도 말은 안 했지만, 날카로운 눈으로 이리나를 노려봤다. 그리고 그보다 더 경멸 어린 눈으로 남자 동기들을 봤다.

남자 동기들은 슬그머니 먼 산을 보았다.

"와, 한국에 이런 곳도 있네."

백 미터나 될까 한 차도에 허름한 간판들이 걸려 있다.

정말 깡시골이라 할 수 있다.

가장 눈에 들어오는 건 '철구 한약방'과 '개소주 팝니다'란 간판이다.

"개소주가 뭐야?"

'모르는 게 좋아.'

서울 사람인 그들로서는 충격을 받을지도 모르는 일이다.

종혁은 주위를 둘러봤다.

'확실히 동네가 작네.'

작은 중국집 하나. 빵집 하나, 정육점 하나, 철물점 하나가 백 미터 차도 옆에 늘어선 편의 시설의 전부다.

농약 사료 판매점 옆 '춘자 다방'이란 간판도 눈에 띈다.

그나마 작더라도 파출소와 소방서가 있는 게 다행이다.

'여기가 주위에서 가장 큰 마을인가?'

그렇지 않다면 파출소와 소방서가 있을 리 없다.

"사람이 이렇게도 살 수 있구나."

"치킨, 피자는 안 파는 건가?"

'그런 걸 바라면 안 된다, 얘들아.'

잠시 후, 귀가 잡힌 채 근처 골목으로 끌려간 이리나가 짧은 청바지 하나를 겹쳐 입고 돌아왔다.

"더운데."

"시끄러워! 남자들 눈 안 돌려?!"

"어우, 풍광 좋다."

피식 웃은 종혁은 사람들을 불러 모아 먼 산을 가리켰다.

"오늘은 저기로 갈 거야. 아니, 거기 말고 저기."

"다 산이야, 종혁아."

그랬다.

눈에 밟히는 모든 풍경이 산이다.

"큼. 다들 출발하기 전 봉사 활동 기억나지?"

"가서 뭐 해?"

"아니 그보다, 다 끝내고 계곡에서 노는 거 맞지? 그렇지?"

"물 깊대? 얼마나 깊대? 다이빙 할 수 있어?!"

종혁은 젯밥에 눈이 돌아간 남자들을 무시하며 말을 이었다.

"잡초 뽑거나 청소, 지붕 수리? 이미 봉사 활동 간다고 연락해 놨으니까 그냥 진입하면 돼. 문제는…….."

그곳이 정말 산골 마을이라는 거다.

강원도 외지에서도 외지인의 발길이 거의 닿지 않는 높은 산골의 작은 마을.

종혁은 수호를 봤다.

이 중에서 가장 체격이 왜소한 수호.

평지 라이딩이야 어렵지 않게 따라왔지만, 산악 라이딩은 견디지 못할 수 있다.

"괜찮겠어?"

"응! 끄떡없어!"

팔꿈치를 굽히는 수호의 팔뚝에서 근육이 뽈록 솟는다.

"오, 운동했어?"

"……응, 했어."

한데 수호의 갑자기 낯빛이 어두워진다.

종혁은 다급해졌다.

"뭐야, 무슨 일이야?"

"후. 난 뭐 키도 작고 멸치니까."

"……고백했다 차였냐?"

"……."

"아, 저기 슈퍼 있네!"

"오! 저기서 사면 되겠다!"

종혁과 일행들은 슈퍼로 향했다.

친구의 아픔은 묻지 않는 게 예의였다.

슈퍼는 특이하게 식당 옆에 위치해 있었다.

선풍기 앞에 앉아 부채질을 하던 할머니는 우르르 들어오는 외지인에 깜짝 놀랐다.

"안녕하세요!"

"일단 사탕이랑 과자 위주로 담아. 어르신들 많은 동네니까 주전부리가 선물로 좋을 거야."

"주전부리?"

"씹을 거리. 당 떨어질 때 먹을 달달한 거."

"아아."

"술도 살까?"

"야! 당연한 건 묻지 마!"

할머니는 9명이 토해 내는 수다에 정신을 차리지 못했다.

"친구들끼리 계곡에 놀러 온 거야?"

"아. 서울에서 왔는데, 저기 동하리 천덕에 가요."

"천덕?"

할머니의 얼굴이 살짝 굳는다.

"임자들도 테레비 보고 온 거야? 그 불쌍한 것 좀 그만 괴롭혀!"

그녀가 버럭 소리를 지르자 모두 당황했다.

그때, 종혁이 옅게 웃으며 말했다.

"테레비라뇨, 할머니? 그리고 누가 괴롭히는 사람들 있어요?"

"……철수 몰라?"

"저흰 그 동네에 봉사 활동 가는 거예요. 몸이 불편한 어르신들을 위해 청소도 하고, 잡초도 뽑고. 힘이 필요한 일 하려고요."

"그래?"

할머니의 볼이 발그레 달아오른다.

"그런데 테레비는 무슨 말이에요, 할머니?"

종혁은 다 알고 있지만, 모른 척 물었다.

할머니는 잠시 망설이다 말했다.

가여운 철수란 아이를 방송국에서 찍게 됐는데, 그게 TV에 나오게 된 이후 외지인들이 철수를 찾게 됐다는 말이었다.

그게 꼭 동물 구경 오는 구경꾼 같았다는 말도 덧붙였다.

"헉! 진짜요?!"

"아, 저흰 절대 아니에요, 할머니!"

놀라 손을 젓는 아이들처럼 종혁도 놀란 모습을 보이며 의뭉스레 쳐다보는 아이들의 의심을 지웠다.

"오늘도 서울 방송국 사람들이 올라가던데……."

'오!'

종혁은 잘됐다 생각했다.

"뭐 천덕에서도 골짜기에 있는 집이니 상관없겠지. 거기 천 씨가 막걸리 좋아하니까 그것도 사 가."

"오, 잘 아시나 봐요?"

"이 근방에 슈퍼라곤 우리 집뿐인데 모를 리가."

"그럼 그쪽 어르신들이 좋아하는 게 뭔지 알려 주실 수 있을까요?"

"그게……."

할머니는 아는 걸 모두 말했고, 종혁은 아이들을 봤다.

"들었지?"

"오케이!"

어차피 이럴 거라고 사전에 이야기를 나눴기에 돈을 넉넉히 들고 온 그들이다. 남자들은 바깥으로 튀어 나갔고, 여자들은 사재기 하다시피 부식거리를 샀다.

할머니는 슈퍼 앞에 쌓인 많은 짐에 걱정을 했다.

과자, 사탕, 라면, 두유, 생고기, 생닭, 농기구 등.

온갖 물품이 산처럼 쌓여 있다.

"아이고, 이걸 다 들고 올라갈 수 있겠어?"

아홉 명이 나눠 진다고 해도 결코 들 수 없는 양이다.

더욱이 이들이 향할 곳은 이 동네에서도 험하기로 유명한 천덕이다.

"그럴 리가요. 절대 들 수 없죠."

"그럼?"

"그래서 하는 말인데……."

종혁의 말에 할머니의 눈이 동그랗게 뜨였다.

* * *

강원도 외진 동네 동하리에서도 산에 있는 작은 마을 천덕.

허리가 굽은 노인이 동구 밖 내리막길을 보며 이제 오나 저제 오나 발을 동동 구른다.

"올 때가 됐는데……."

"오긴 온대요?"

"그 청년들이 너냐, 이놈아?! 딴 곳도 아닌 서울서 대학교 다니는 청년들이야! 서울 사람이 약속을 어길 것 같아?!"

마을에서 제일 젊은 오십대 장 씨는 어깨를 움츠렸다.

"하지만 다른 서울 사람들은……."

둘의 미간이 굳어진다.

처음엔 참 좋은 일 한다 싶기도 하고, TV에 나온다기에 허락했다. 그런데 그 여파가 겨우 15명 사는 마을을 쑥대밭으로 만들고 있었다.

"그것들은 몹쓸 것들이고! 계속 그렇게 말……."

웅성웅성.

위쪽에서 들려오는 소란에 둘은 미간을 구겼다.

카메라와 조명 기구를 든 사람들이 한 소년을 찍으며 내려온다.

이 마을의 유일한 소년.

16살, 김철수다.

"앗!"

둘을 발견한 소년이 재빨리 달려와 허리를 꾸벅 숙였다.

"안녕하세요, 할아버지! 아저씨!"

언제나와 같이 배시시 웃는 웃음에 노인과 장 씨는 카메라가 자신들을 찍는 것도 잊은 채 흐뭇이 웃는다.

"그래. 어디 가냐? 놀러 가냐?"

"학교요!"

"공부하러 가?"

"네!"

해맑게 대답하지만 어딘가 모자라 보이는 철수.

이 작은 마을에서 축복을 받고 태어났으나 사정이 여의치 않아 제대로 배우지도 못한 채 자란 불쌍한 아이다.

'얘를 돕고자 하는 거니 뭐라 할 수도 없고…….'

노인이야 당장 내일 눈 감아도 여한이 없지만, 홀어머니와 함께 사는 16살 어린 철수에겐 많은 도움이 필요하다.

다행히 후원을 해 주겠단 사람들도 나타나고, 저기 방송 스태프 옆에 후원회장도 방송국 사람들이 올 때마다 들여

다봐 주지만 문제는 방송을 보고 찾아오는 외지인이다.

마치 이 마을을 자신들이 살던 곳처럼 헤집고 철수에게 사진을 찍자고 달려드는 외지인들.

'매정히 쫓아내자니 철수에게 안 좋은 영향이 끼칠 것 같고.'

속만 앓던 둘은 갑자기 귀를 기울였다.

부르릉!

차가 올라오는 소리가 나고 있다.

이 동네에 장 씨 혼자만이 차를 가지고 있기에, 차를 타고 올라오는 건 무조건 외지인이다.

"아, 오나 보네요!"

"아니야. 그 청년들은 자전거 타고 온댔어. 근데 저거 선동이 아니야?"

"그러네요? 쟤가 우리 마을엔 왜……."

장 씨와 노인은 입을 다물었다.

1톤 트럭 뒤에 자전거를 탄 외지인들이 헉헉거리며 쫓고 있다.

갑작스러운 외지인의 등장에 모두가 깜짝 놀랐고, 선두에 서서 페이스 조절을 하던 종혁은 그런 그들을 보며 눈을 빛냈다.

'아직 안 갔구나. 방송국 촬영팀!'

종혁은 속으로 미소를 지었다.

'그리고 너도.'

촬영팀 중간에 끼어 있는 오십대 남성을 보는 종혁의

미소는 더욱 짙어졌다.

＊　＊　＊

　명절이 아님에도 마을에 잔치가 벌어졌다.

　지력이 약해져 공터가 된 작은 텃밭에서 비계 많은 고기와 닭이 삶아지고, 허리 굽은 노인들은 막걸리 한잔에 껄껄 웃는다.

　녹이 슬어 못 쓰게 돼도 돈이 없어 살 수 없던 호미나 괭이, 쇠스랑 같은 농기구를 사다 준 것도 고마운데, 두 달에 한 번 겨우 동하리에 내려갈 때도 선뜻 손이 못 가는 사탕과 과자를 왕창 사다 줬다.

　웃음이 나오지 않을 수 없다.

　"육이오? 그게 뭔데에?"

　마을의 최고령자 92세 박 할머니가 의아해하자 모두 뒤로 넘어갔다. 수호가 다급하게 말했다.

　"할머니, 육이오 모르세요?! 전쟁이요, 전쟁!"

　"이걸 어째. 바깥에 전쟁 났어? 피난 온 거야?"

　"아니요오!"

　모두가 답답해 가슴을 친다.

　종혁은 어이없다는 듯 웃었다.

　'이건 뭐 웰컴 투 정막골도 아니고.'

　노인이 클클 웃는다.

　종혁이 미심쩍어하며 물었다.

"어르신도 모르세요?"

"난 알았지! 소학굔가 간다고 난리쳤을 때 알았지, 아마?"

단어 자체도 웃기다.

마치 살아 있는 화석과 이야기를 나누는 것 같다.

"근데 그건 누구랑 싸운 거야? 우리가 이긴 거 맞지?"

일행들은 다시 뒤집어졌다.

"북한이에요, 어르신! 북한!"

"웅? 거긴 또 무슨 나라인고?"

"……말도 안 돼."

얼굴이 불콰하게 달아오른 장 씨가 웃었다.

"이해들 해요. 이 동네에 저 자갈 포장길이 깔린 지 5년도 안 됐어요. 읍사무소에서 인구 조사라고 나온 게…… 10년 전이던가? 그쵸?"

노인이 고개를 끄덕였다.

"그렇지. 대통령이 뭐 어쩌고저쩌고 하면서 그때 TV라고 한 대 놔 주고 갔는데, 반년 만에 누가 박살 냈지. 함께 놔 준 우물 뻠쁘는 잘 쓰고 있지만!"

들을수록 먼 나라의 이야기다.

아이들은 저마다 핸드폰을 꺼냈다가 화들짝 놀랐다.

안테나가 안 잡혔다.

'짜장면 시키신 분-!' 하며 마라도에서도 짜장면을 시킬 만큼 전파가 잘 터지는 2001년, 21세기에 말이다.

"그럼 TV는 아예 없으세요? 라디오는요?"

"그런 거 없어도 잘 살아요. 아침에 밭에 나가서 일하고,

저녁에 발 닦고 자면 그만인데 그런 게 뭐 필요하다고."

'이렇게도 살 수 있구나.'

모두가 신기해했다.

그러다 한곳을 보았다.

마을 사람들 사이, 두 대의 카메라가 찍고 있음에도 어색하지 않은지 복스럽게 고기를 먹는 소년이 있다.

소년은 "엄마, 이것도 좀 먹어." 하며 고기를 내밀고, 어디가 아픈 건지 깡마른 소년의 모친은 소년의 입에 김치를 물려 주며 애틋하고 따뜻한 모습을 보인다.

종혁이 장 씨를 봤다.

"저 아이가 철수인가요? 사정은 오는 길에 동하리 슈퍼 할머니에게 들었습니다."

종혁은 모른 척 물었다.

막걸리 사발을 내려놓은 장 씨가 담배를 물었다.

"불쌍한 아이지. 지 애미 순덕이나 저나 모두. 한 15년 전이었나?"

더 이상은 이렇게 못 살겠다 하며 마을을 뛰쳐나간 16살 꽃다운 나이 어린 순덕은 몇 년 후 갓난아기를 감싼 포대기를 안은 채 돌아왔다.

"그때 마을이 뒤집혔지."

가출한 아이가 아기를 안고 나타났으니 당연했다.

"가출한 딸 찾겠다고 그 늦은 밤에 산을 내려가던 정씨 아저씨가 절벽에서 떨어져 죽었다는 걸 알게 된 순덕이는 정신 놓고 울지, 철수 저놈은 젖 달라고 보채지."

공기가 숙연해진다.

목소리가 닿는 곳에 앉은 노인들은 연신 술을 들이켰다.

"그때 정신 차릴 시간 주겠다고 놔두는 게 아니었어."

장 씨는 막걸리를 거칠게 들이켰다.

어느 날, 매일같이 마을을 흔들던 아기의 울음소리가 들리지 않게 됐다.

뭔가 이상해 들여다봤던 마을 사람들은 경악했다.

순덕이고 철수고 모두 말라서 죽어 가고 있었다.

철수 몸은 불덩이었다.

질겁한 마을 사람들은 그들 모자를 둘러업고 읍내 보건소로 달려갔다.

"겨우 살았지, 겨우. 그런데 그때 일 때문인지 애가……."

이야기를 나누지 않아도 알아차리게 된다.

참 해맑게 웃지만, 표정과 말이 어눌하다.

"어휴."

"흑흑."

마음이 여린 아이들은 눈물을 흘렸고, 종혁은 담배를 찾아 주머니를 더듬거렸다.

정 씨는 그런 그들을 보며 놀라워했다.

"정말 테레빈지 뭐시긴지 안 보고 왔나 봐? 저기 PD 양반이 말하기를 요새 철수 이야기가 엄청 유명하다던데."

"그래요?"

"세 번인가 내보냈다는데, 전 국민이 다 안다던데?"

그래서인지 2주 전부터 외지인이 와서 마을 분위기가

뒤숭숭해졌다.

허락 없이 천막을 치지 않나, 농작물을 뽑아 먹지 않나.

두고 가는 쓰레기에 마을이 쑥대밭이 됐다.

철수와 순덕이 불쌍해서 겨우 참고 있을 뿐이다.

"어? 이거 설마 인생극장 말하는 거 아냐?"

수호의 말에 장 씨가 무릎을 쳤다.

"그래, 그거! 그런 이름이었어! 인생극장!"

술김에 크게 말해서 그런지 모두의 시선이 모인다.

PD와 철수도 이쪽을 본다.

종혁은 눈을 빛냈다.

'판이 깔렸다.'

종혁은 PD 옆에 서서 사람 좋게 웃고 있는 장년인을 힐끔 봤다.

'백종명.'

철수와 순덕을 지옥의 구렁텅이로 밀어 버린 악마.

그랬으면서도 평생을 호의호식한 악마 중 악마다.

종혁은 의아해하며 입을 열었다.

"그렇다면 이해가 좀 안 가네요."

말하는 종혁의 목소리가 크다.

"음? 뭐가?"

"제가 알기로 인생극장은 후원 모집을 하고 있는 걸로 알고 있는데……."

"후원?"

"맞아! ARS 말하는 거지? ……어?"

종혁의 동기가 맞장구치다 고개를 모로 기울였다.

눈치 빠른 아이들 모두 의아해했다.

"그거 한두 푼이 아니지 않아?"

"응. 그거 못해도 천만 원 넘을 텐데?"

"처, 천만 원? 그렇게나?"

바깥 사람들이 고맙게도 한 푼 두 푼 후원해 준다는 건 알았지만, 그 액수까진 몰랐던 장 씨와 마을 사람들이 놀란다.

웅성웅성.

심상치 않은 분위기를 느낀 PD가 잠시 촬영을 중단하고 다가온다.

"무슨 일 있습니까, 최종혁 선수?"

종혁은 놀랐다.

"절 아시나 보네요."

"그동안 노리고 있었는데 모를 리가요."

"저를요?"

친구들이 놀랐다가 고개를 끄덕였다.

종혁은 개천에서 난 용.

인생극장에서 노릴 수밖에 없는 인물이다.

"타이밍이 맞지 않아 계속 어그러졌지만, 마침 잘됐군요. 이 기회에 날짜 잡으시죠."

"하하. 죄송합니다. 제가 되려는 직업 특성상 얼굴이 많이 팔리면 안 되는지라."

"아, 경찰……."

PD는 안타깝다는 듯 한숨을 푹 내쉬었다.

종혁은 그 모습에 쓴웃음을 흘리고는 방금 전 나눈 이야기에 대해 말해 줬다.

"후원금이요?"

왜 이런 이야기가 나왔는지 몰랐지만, 모두 철수의 일에 감정이입을 해서 나온 걱정이라고 판단한 PD는 푸근히 웃으며 입을 열었다.

그도 철수가 이 험한 세상 어떻게 살아갈지가 참 걱정이었다.

'젊은 청년들이 마음씨가 좋네.'

그렇지 않아도 미담이 많은 종혁이다.

끼리끼리라는 말이 그의 머릿속에 떠올랐다.

"후원금은 저희가 철수에게 직접 전달하는 게 아니라 저기 후원회장님에게 맡기…… 아, 오셨어요?"

어느새 후원회장이 옆에 다가와 있다.

"예. 그런데 무슨 일 있습니까?"

'얼씨구?'

PD의 입에서 후원금이란 말이 나온 순간 움찔 반응한 걸 봤는데도 태연하게 말한다.

'마치 간식 봉지 흔드는 소리에 냅다 달려오는 개새끼처럼 달려왔으면서.'

종혁은 푸근히 웃었다.

"좋은 일 하시느라 고생 많으십니다."

"어이구, 아닙니다. 말년에 할 일이 없어 오지랖을 부리는 것뿐입니다."

쑥스럽다는 웃는 후원회장의 모습에, PD와 마을 사람들이 존경 어린 눈빛을 보낸다.

"그런데 후원 이야기가 나온 것 같던데…… 궁금한 점이라도 있습니까?"

"다름이 아니라 후원금이 어떻게 쓰이는지 알고 싶어서요."

종혁은 방금 전 나눈 이야기를 덧붙였다.

"아, 그렇습니까?"

예민한 질문이었을 텐데도 후원회장이 사람 좋게 웃는다.

'마치 예상했던 질문처럼.'

"일부는 철수 옷이나 필기구를 사 주고 있습니다. 순덕 씨께도요."

깨진 그릇이나 냄비도 바꿔 주고, 가스렌지도 놨다.

"나머지는 철수가 대학 갈 때 집 한 채 얻어 주기 위해 모아 두고 있습니다."

'그렇게나 해 줬어?'

'어이구.'

존경의 시선이 짙어진다.

'신의를 얻었군.'

후원 사기의 첫째 단계이자 끝이고 전체를 관통하는 맥락이다.

내 편을 만들어라.

설계도에도 나와 있지만 신의를 얻는 건 사기의 기본이고, 신의를 얻으면 모든 게 끝난다.

'설계도 그대로 했군.'

옷이나 필요한 용품 등 소소하지만 드러나는 걸 줌으로써 당사자와 주위에 신의를 얻는다.

후원 사기의 정석이었고, 회장은 그 단계를 넘었다.

하지만 그렇다고 일이 복잡해지진 않는다.

깰 방법은 얼마든지 있었다.

"아, 대학 갈 때요?"

지금처럼.

어디서 많이 들어 본 변명이다.

'몇 년 후 이렇게 할 거다, 라고 누가 말을 못 해?'

그게 지켜지지 않아서 문제다.

움찔!

후원회장뿐만 아니라 PD도 그 말에 작게 반응한다.

사람의 욕심이란 말이 그의 머릿속에 떠오른다.

'설마? ……아니겠지?'

그 시선을 느낀 후원회장이 정색했다.

"말이 조금 이상하군요. 제가 철수의 후원금을 사적으로 쓴다는 말입니까?!"

'알아서 말하네.'

하지만 종혁을 보는 마을 사람들의 눈빛이 안 좋아진다.

"불쾌하셨다면 죄송합니다. 저도 철수 사정이 안타까워 약간의 후원을 하려다 보니 걱정이 좀 들었나 봅니다."

"아, 그러세요."

후원회장의 표정이 풀린다.

"청년처럼 여러 사람이 도와준다면 나중에 서울에 방 한 칸 못 얻어 주겠습니까? 하하. 그런데 얼마나 하실 생각인지?"

종혁은 장 씨를 봤다.

"아저씨, 동하리에 집 얻으려면 얼마나 들어요?"

"집?"

모두가 의아해했지만, PD는 달랐다.

'최 선수가 돈이 많다고 했지? 이거?'

그동안은 일이 있어 캐스팅을 못 했지만, 종혁에 대해선 이미 조사했다. 그는 얼른 등 뒤로 손짓을 해 카메라를 불렀다.

캠코더를 든 카메라 감독이 슬그머니 다가왔다.

"어…… 글쎄. 아마 2천 정도 할걸? 빈집이면 그 정도 할 거야."

"철수 어머님도 밭에서 일하시나요?"

"아니. 이 밭, 저 과수원 돕고 그 삯으로 살지. 순덕이 아버지, 정 씨 아저씨도 그랬으니까."

자식에게 남긴 건 고작 다 쓰러져 가는 집 한 채다.

장 씨는 속이 타는지 막걸리를 쭉 들이켰다.

"그래요? 그럼 이사할 집이랑 밭까지 해서 깔끔하게 5천 후원하죠."

쿠당탕!

PD와 후원회장이 벌떡 일어났다.

후원회장은 얼굴을 일그러트렸다.

"젊은 사람이 말이야! 어? 그렇게 불쌍한 사람 놀리는 거 아냐!"

방금 전 의심을 받을 뻔한 것에 식겁했던 후원회장은
불같이 말을 쏟아 냈다.

"그러고도 네가……."

"잠시만요, 회장님!"

다급히 말린 PD가 귓속말을 했다.

'저 친구 어머님이 엄청 부자십니다. 서울에 빌딩만 네
채 넘게 가지고 있어요.'

"헉!"

회장의 머리가 빠르게 돌아갔다.

'재신이구나!'

그는 환하게 웃었다.

"아이고, 이거 죄송합니다."

눈동자에 탐욕이 서린다.

'연기를 하려면 제대로 좀 하지.'

"그런데 후원은 언제……."

종혁은 모른 척 입을 열었다.

"아, 이건 철수 어머님 의견도 들어 봐야겠네요."

"예?"

* * *

"예에?! 아, 아니……."

철수 어머니 순덕은 숨이 턱 막혔다. 갑자기 찾아온 커

다란 행운과 온정에 그녀는 어쩔 줄 몰랐다.

"싫어요!"

"철수야!"

후원회장은 식겁했다.

종혁은 철수를 따뜻하게 봤다.

"왜 싫은 거야? 이유를 말해 줄 수 있어?"

"음. 이사 가면 백구랑 황구랑 못 놀잖아요!"

김 씨 할머니네 백구, 종 씨 할아버지네 황구.

"쨱쨱이랑 콩알이랑도 못 놀고."

만날 아침마다 찾아오는 참새 두 마리.

철수는 이후로 손가락을 짚으며 친구들을 말해 갔다.

철수에겐 이 산에 있는 모든 게 놀이터고 친구였다.

"그리고 할머니 할아버지 안마도 못 해 드려요!"

"아이구, 이놈아……."

고맙고도 애잔한 감정이 번져 간다.

"안 갈래요. 전 여기가 좋아요. 나 없으면 할머니 할아버지 외로워요. 엄마도 동하리 가면 콜록콜록 하잖아. 더 일하잖아. 응?"

종혁의 몸이 크게 흔들렸다.

'마냥 어린 게 아니었구나!'

정신연령이 아이 수준이 아니다.

주위를 살필 줄 알고, 포기할 줄도 알았다.

철수는 철수 나름대로 주위를 배려를 하는 거였다.

종혁은 그제야 깨달았다.

국민들이 왜 철수를 좋아했는지. 작은 것에 감사하고 만족하며 언제나 해맑게 사는 철수가 부럽고 가여워서 좋아하는 거다.

알 거 다 알면서 배려하고 만족하는 그 모습이.

종혁은 철수의 머리를 쓰다듬었다.

움찔!

종혁은 몸을 움츠리는 철수의 반응에 이를 악물었다.

'벌써부터?!'

이유를 눈치챈 종혁이지만, 모른 척 따뜻하게 말했다.

"대신 동하리 친구들은 매일 만날 수 있는걸?"

"동하리 친구들?"

"황구, 백구, 짹짹이, 할머니, 할아버지는 주말마다 와서 보면 되잖아."

"그래도 돼요?!"

"그럼."

"어. 음."

종혁은 갑자기 깊이 고민하는 그의 모습에 터지려는 웃음을 겨우 참으며 순덕을 봤다.

종혁은 진지해졌다.

"철수 어머님. 이사하시는 게 좋을 겁니다. 이곳은 너무 노출됐기 때문입니다."

"……?"

모두가 의아해한다.

"노출이라뇨?"

"흔히 사촌이 땅을 사도 배가 아프다고 하죠."

뭔가를 눈치챈 PD의 얼굴이 딱딱하게 굳는다.

여러 사건 사례를 배운 동기들도 마찬가지다.

"설마 못된 마음을 먹는 사람이 생긴다는 겁니까?!"

"예, 그럴 가능성이 높습니다."

실제로도 그런다.

몇 년 후. 순덕은 돈, 즉, 있지도 않은 후원금을 노린 누군가에 의해 살해당하고, 충격을 받은 철수는 신부가 되어 수도원에 들어가 버린다. 자신을 아는 사람이 한 명도 없는 외국으로.

그에 철수를 알고 있던 국민들은 슬픔에 잠긴다.

"한두 푼이 아니니까요."

정말 한두 푼이 아니다.

범인은 마냥 돈이 많겠지 하고 침입했다가 우발적으로 살인을 했지만, 이 끔찍한 사건이 벌어지며 밝혀진 바에 의하면 순덕이 살해당하기 전, 즉, 현재부터 훗날까지 몇 년 동안 전국 각지에서 전달된 후원금은 억 단위였다.

개인적으로 정기 후원을 하는 사람이 많았기 때문이다.

겉으로 드러난 인생극장 ARS 모금은 세 발의 피.

티끌 모아 태산이었다.

그럼에도 후원회장은 이 내용을 밝히지 않았고, 돈을 모두 착복했다. 철수 모자에겐 한 푼도 주지 않고.

'그런데 뭐? 서울에 방 한 칸?'

태연하게 말하는 모습이 너무 가증스러웠다.

"아니⋯⋯."

순덕은 덜컥 겁을 먹고, PD는 당황했다.

좋은 취지로 한 일이 불행을 불러올 것만 같았다.

"그러니 지켜보는 눈이 많은 곳으로 옮기자는 겁니다. 철수 공부시키려면 아무래도 학교 근처가 좋을 테고요."

"⋯⋯."

"그래! 가! 주말에 오면 되는 거 가지고 뭘 고민해?"

"다시 못 올 귀인이다, 순덕아! 철수 생각 안 할 거야?!"

"평생 안 볼 것도 아니고! 어서 이사한다고 해!"

어르신들이 버럭 성을 내며 걱정하자 순덕은 망설이다 이내 자그맣게 고개를 끄덕였다.

"흑. 감사합니다. 정말 감사합니다."

그녀도 이런 산골에서 철수를 키우고 싶지 않았다.

3년 전에야 겨우 한글을 떼고 초등학교에 들어간 철수다.

참새가 친구라고 말할 때마다 억장이 무너졌다.

종혁은 씁쓸히 웃었다.

"그럼 바로 내일 집부터 알아보죠."

종혁은 웃음을 참는 듯 입술이 꿈틀거리는 후원회장 백종명을 보며 말했다.

*　*　*

다음 날, 이른 새벽.

얼마 전, 노환으로 돌아가신 분의 집 마당에 텐트를 편

종혁은 바깥에서 나는 인기척에 눈을 떴다.

"헥헥! 멍!"

"쉿! 쉿! 조용히 해, 백구야! 깬단 말이야!"

푸근히 웃은 종혁은 텐트 지퍼를 내렸다.

"아앗!"

당황해 안절부절못하던 철수가 허리를 접듯 숙였다.

"아, 안녕히 주무셨어요!"

"그래. 너도 잘 잤어?"

"네!"

철수의 옆에 선 한 남성이 캠코더로 이 모습을 찍고 있다.

무시한 종혁은 철수의 얼굴에 손을 가져갔다.

움찔!

이번에도 철수가 움츠린다.

'역시.'

어제 잘못 본 게 아니었다.

이는 폭력에 노출됐을 때 나타나는 반응이다.

순덕이 살해당하고 철수가 외국 수도원에 들어갔다고
만 해서 전 국민이 슬퍼한 게 아니다.

백종명이 단순히 후원 사기를 했다고 악마라고 욕한 게
아니다. 백종명은 이 순박한 철수에게 폭행과 폭언을 일
삼았다.

'그리고······.'

인면수심. 사람이 하지 말아야 할 짓까지 했다.

훗날 밝혀진 내막에 국민과 경찰이 분개했다.

겨우 참은 종혁은 철수의 눈에 낀 눈곱을 뗐다.

"일어나면 세수부터 해야지. 학교에서 안 배웠어?"

"에……."

철수는 먼 산을 보며 휘휘 휘파람을 불었다.

고개를 저은 종혁은 철수의 머리를 쓰다듬었다.

"헤헤헤."

"비켜 봐. 형은 좀 씻어야겠다."

"네!"

종혁은 우물가로 향했다.

어젯밤 듣기로 모든 물은 우물가에서 긷는다고 했다.

그렇게 도착한 우물가엔 박물관 혹은 70년대 달동네에 가야 볼 법한 작두 펌프 한 대가 세워져 있다.

'우물 펌프가 이 펌프였어?'

"이, 이건 어떻게 사용하는 거야?"

"아, 이렇게 물 부어야 해요! 마중물이라고 했어요!"

"그래?"

촤악! 촤악!

두 사람이 협업하니 금세 물이 쏟아져 나왔다.

"우와! 팔이 올록볼록해요! 왜 이래요? 아파요?"

"푸핫!"

"……운동을 열심히 해서 그런 거야."

웃음이 터진 카메라 감독을 째려본 종혁은 철수를 번쩍 들어 올려 왼 팔뚝에 앉혔다.

"우와악!"

"이렇게 힘이 세지려고. 어때, 세지?"

"또 해 줘요. 또!"

"일단 세수하고."

"네!"

종혁은 받아 둔 물에 손을 담갔다.

산골이라서 그런지 물이 얼음장처럼 차가웠다.

'어우. 추워.'

얼굴이 깨질 것처럼 춥다.

"자, 철수 너도 씻자."

"어? 아, 아뇨!"

"이리 와, 인마."

"싫은데! 싫은데에-!"

결국 강제적으로 세수를 당한 철수는 종혁의 옆에 뚱한 얼굴로 서서 이까지 닦게 됐다.

사박사박!

"음?"

"혁! 굿모닝-!"

이리나가 이를 닦으며 다가온다.

그에 카메라 감독이 눈을 부릅뜬다.

짧은 반바지에 탱크톱.

눈이 동그래진 철수도 놀란다.

"누나, 누나. 안 추워요?! 새벽엔 추운데!"

"오우. 괜찮아, 철수. 난 몸에 열이 많거든. 그래도 걱정해 줘서 땡큐."

쪽!

철수의 볼을 부드럽게 쓸며 짧게 입을 맞춘 이리나는 애정이 담긴 스킨십에 배시시 웃는 철수를 뒤로하며 종혁의 앞에 섰다.

종혁은 그녀의 어깨에 수건을 올렸다.

"차가워, 혁."

"추워."

"이거 젖었는데?"

종혁은 무시하며 입을 헹궜다.

"혁, 정말 집과 땅을 사 주려는 거야?"

"나 후원 많이 하는 거 알잖아."

매해 종혁과 고정숙의 이름으로 행복의 재단에 기부하는 돈이 2억이다.

"올해 할 거 나눈다고 생각하면 돼."

"정말 순수하게?"

종혁은 이리나를 봤다.

좋지 않은 의도도 섞여 있기에 예민하게 반응했다.

"그럼?"

"아니야! 오케이. 미안."

"음?"

뭔가 꺼림칙했다.

"그러면 나도 따라가도 돼? 집 같은 건 여자가 봐야 하는 거야."

"철수 어머님도 여자야. 아니, 그보다 네가 여자냐?"

"……What?"

이리나가 믿기지 않는 말을 들은 듯 반응했다.

그녀의 얼굴이 일그러졌다.

"내가? 섹시 다이너마이트인 내가? 너 진짜 게이야? 나 같은 여자한테도 눈길을 안 주면 정말로!"

"그거였냐!"

빠악!

종혁의 주먹이 이리나의 정수리에 꽂혔다.

"……꺄아아아아아악!"

외국 여자의 비명이 닭 울음 대신 마을을 깨웠다.

*　*　*

"철수를 돕는 거라 뭐라 말할 수도 없고."

"와. 우와아."

남겨져 일을 해야 하는 친구와 동기들의 반응이 심상치 않다.

봉사 활동 제의를 종혁이 했기 때문이다.

"어쩔 수 있냐. 돈을 부치려면 은행에 가야 하는데."

폰뱅킹을 하려고 해도 안테나가 잡히는 곳으로 가야 한다.

"그럼 다녀올게."

"……올 때 하드 사 와!"

"난 맥콜! 안 사 오면 계곡에 머리부터 꽂아 버릴 거야!"

손을 흔든 종혁은 순덕, 철수와 산길을 내려갔다.

"우와아아아! 동하리 간다, 동하리!"

후다닥 달려 내려간 철수가 다시 쪼르르 달려 올라오며 일행들 주위를 강아지처럼 빙글빙글 돈다.

뭐가 그리 좋은지 얼굴에 미소가 가득하다.

절로 미소가 나오는 천진난만한 모습이다.

그러다.

"푸흐흐."

철수가 볼록 솟은 이리나의 정수리를 보며 웃는다.

"이게!"

"악! 악! 잘못했어요!"

헤드락에 걸린 철수가 양팔을 파닥파닥거린다.

"한 번만 더 웃어 봐. 이 정도로 안 끝낼 거야!"

"네!"

철수는 후다닥 종혁의 등 뒤에 숨었고, 순덕은 안절부절못했다.

"괜찮습니다, 어머님. 아침 안 먹었지?"

종혁은 챙겨 온 초콜릿을 내밀었고, 엄마 눈치를 본 철수는 "감사합니다" 하고 크게 외치며 받아 들었다.

"줘 봐. 까 줄게."

"네."

종혁은 까 주는 척 잠시 걸음을 늦췄다.

일행과 거리가 어느 정도 떨어지자 종혁은 초콜릿 조각을 철수의 입에 가져갔다.

움찔!

이번에도 움츠리다 배시시 웃으며 받아먹는 철수.

"우와아아!"

"맛있어?"

"네!"

"그럼 더 줄 테니까 형한테 한 가지만 말해 줄래?"

"뭔데요?"

"후원회장님이 막 소리 지르고 아프게 하니?"

우뚝!

걸음을 멈춘 철수가 경악한 눈으로 종혁을 본다.

철수의 얼굴에 점점 공포가 차오르자 종혁은 재빨리 입을 열었다.

"후원회장님이 아무한테도 말하지 말래?"

"……."

입을 꽉 틀어막은 양손, 사정없이 흔들리는 눈동자가 답을 대신했다.

'개새끼!'

"괜찮아. 어제 그 아저씨가 형한테 허리 숙이는 거 봤지? 형이 이겨. 아무한테도 말 안 할 테니까 형한테만 말해 줘. 여기 귀에다 대고. 그럼 됐지?"

종혁은 하얀 무언가가 끼어진 귀를 철수에게 가져다 댔다.

초소형 녹음 장치다.

"형 힘 센 거 알지? 형이 이겨. 괜찮아."

안절부절못한 채 발을 동동 구르던 철수는 오늘 아침 일을 떠올렸다.

한 손으로 번쩍 들었던 종혁.

철수는 침을 꼴깍 삼키며 입을 열었다.

"이건 절대 말하지 말라고 했는데…… 저보고 웃으래요. 울지 말고 만날 웃으래요. 아저씨한테도 웃으래요. 안 그러면 또 아프게 한다고. 엄마도 아프게 한다고…… 흐으응. 하기 싫은데. 다 하기 싫은데. 흐으으응."

철수의 눈에 눈물이 고인다.

이 상황에서도 울지 말라는 부당한 명령을 지키려 한다.

종혁은 눈을 질끈 감았다.

지금 눈을 떴다가는 보이는 걸 모두 박살 낼 것만 같았다.

종혁은 겨우 입을 열었다.

"왜, 왜 철수보고 웃으라고 하는 거래?"

"돈. 돈 때문이래요. 그래야 돈을 더 받는다고……."

'야 이 개자식아―!'

역시 짐작대로였다.

"형. 우, 우리 엄마 안 아프게 해 줄 수 있어요?"

"그럼. 우리 철수도 안 아프게 해 줄게. 그러니 딱 세 밤만 참자. 그 못된 아저씨한테도 딱 세 밤까지만 웃어 주는 거야. 우리 철수 그럴 수 있지?"

"……네!"

"그래. 장하다."

종혁은 철수 입에 초콜릿 조각을 집어넣곤 몸을 일으켰다.

빠드득!

종혁의 두 눈에 불길이 치솟았다.

피해자 증언을 확보해 기뻐야 하지만 너무 화가 났다.

* * *

"어이구, 어서 오십시오."

카메라 앞에 있던 백종명이 양팔 벌려 환영한다.

그의 옆에 웬 노인이 있다.

"어머. 장 씨 아저씨!"

순덕도 아는 사람 같았다.

"아시는 분이세요?"

"네. 읍에서 복덕방 하시는 분인데, 동주 오빠 삼촌이세요."

동주면, 마을의 장 씨다.

"순덕아, 잘 지냈냐?"

"네. 아저씨는요? 여긴 어떻게 오신 거예요?"

"나야 여기 백 회장이 불러서 왔지."

종혁의 눈이 가늘게 뜨였다.

"그동안 고생했다. 이제 행복할 일만 남았어."

톡톡 손을 두드리는 주름지고 따뜻한 손에 순덕은 울컥했다.

장 씨 노인은 종혁을 향해 고개를 까딱였다.

"좋은 일 하시는 거요. 복 받을 거야."

"하하. 예. 그럼 매물로 나온 집부터 보러 가시죠."

"그럽시다!"

현재 동하리에 나와 있는 매물은 몇 개 없었다.

그래도 모두 천덕 마을 집보다 몇 배 좋았기에 순덕은 도리어 미안해했다.

"다 마음에 드시는 거죠?"

"그렇지만 이러면 너무 폐가 돼서⋯⋯."

그런 것치곤 꽤 자세히 살폈던 그녀다.

그녀가 무심코 넘어간 것도 이리나가 지적하자 그랬냐며 서로 죽이 맞아 남자는 모를 이야기 웃음꽃을 피웠다.

'애나를 데려오길 잘했네.'

싱긋 웃은 종혁은 장 씨 노인을 봤다.

"파출소 옆 매물로 하죠."

"어이구. 파출소 옆으로?"

장 씨 노인과 백종명의 눈이 흔들린다.

"왜요? 무슨 문제 있습니까?"

"아니 파출소가 죄다 남자들이라 젊은 순덕이가 고생할 수도 있어서⋯⋯."

종혁은 불끈 쥐었던 주먹을 폈다.

"설마요. 경찰이 그러려고요."

"도심과 달리 시골 파출소는⋯⋯."

"여자 혼자 아이를 데리고 사는 집인데 안전장치는 있어야죠."

혹여 그런 문제가 생긴다고 해도 경고를 하면 그만이다.

"으음."

백종명과 눈이 부딪친 장 씨 노인은 한숨을 내뱉었다.

"뭐, 그럽시다. 이미 나와 있는 집이니 계약금만 걸면 바로 입주할 수 있을 거요. 청소도 깔끔하게 해 뒀으니 몸만 들어와도 되겠지."

"잔금까지 치르죠."

"어이구, 그렇게 빨리?"

"결정된 거 질질 끌어서 뭐 합니까. 바로 쏴 드리겠습니다. 대신 저도 후원한 증거는 있어야 하니까……."

백종명은 냉큼 본인의 계좌 번호를 알려 줬다.

"일 보시고 저기 후원 사무실로 오시면 됩니다. 저기 저겁니다."

백종명이 가리키는 곳을 본 종혁은 고개를 끄덕였다.

"그럼 사무실에 먼저 가 계시죠. 어머님도 가 계세요."

"네? 네에."

철수를 보며 고개를 끄덕인 종혁은 몸을 돌렸다.

* * *

후원 사무실을 찾은 종혁에게 시선이 모인다.

꿈에서나 그린 순간이 코앞에 와서 그런지 순덕은 금방이라도 눈물을 흘릴 듯했다.

종혁은 스틱형 소형 녹음기와 화려한 만년필 한 자루를 꺼냈다.

"지금부터 말하는 모든 내용은 법적인 증거가 된다는 걸 명시합니다. 인정하십니까?"

황금으로 된 만년필에 눈을 빛냈다가 가라앉힌 백종명이 화들짝 놀란다.

"아, 죄송합니다. 제 지인 중에 법조계에 계신 분이 있어서. 하도 듣다 보니 습관이라고 생각하시면 됩니다."

"음. 예…… 인정합니다."

백종명은 떨떠름한 얼굴로 인정했다.

"확인해 보시면 아시겠지만 방금 전 백종명 씨, 김철수 후원회장님의 후원 계좌로 후원금 오천만 원을 송금했습니다. 확인해 보시죠."

백종명이 얼른 핸드폰을 들어 확인했다.

그의 입이 파르르 떨렸다가 가라앉았다.

"후원금 오천만 원 확인했습니다."

"좋은 땅도 알아봐 주셨으면 좋겠습니다."

"와."

"우와."

사람들의 감탄 속에 후원 영수증을 챙긴 종혁은 다음 일을 진행하자고 고개를 까딱였다.

장 씨 노인이 순덕에게 냉큼 매매 계약서를 내밀었다.

"바로 찍으면 돼!"

'우, 우리 집…….'

"이걸로 사인하세요."

순덕은 황금 만년필을 보고 화들짝 놀랐다.

"모두에게 좋은 일인데, 좋은 걸로 서명하셔야죠."

"네, 네!"

순덕은 떨리는 손으로 사인을 하고 인감도장을 찍었다.

꾸욱!

"흑!"

눈물이 왈칵 터져 나온다.

짝짝짝짝짝!

"이제 행복 시작입니다, 어머님!"

"잘 살아야 돼, 철수야!"

이 감동적인 순간에 침묵을 지킬 수 없던 방송국 사람들은 박수를 치며 그들을 축하하고, 종혁에게 고마워했다.

순덕은 종혁의 손을 잡고 펑펑 울었다.

"고맙습니다! 정말 고맙습니다!"

"흐어엉, 혀엉!"

엄마가 울자 철수도 울었다.

시간이 꽤 흐른 후 모자가 진정되자 종혁은 방금 전 못다한 말을 꺼냈다.

"회장님, 앞으로도 계속 정기적으로 후원을 하고 싶은데……."

"어이구!"

방송국 사람들도 탄성을 터트린다.

"아니요! 그러지 않으셔도 돼요!"

순덕이 펄쩍 뛰었다.

종혁은 철수의 머리를 쓰다듬었다.

"철수가 자립할 때까지만 받아 주시면 감사하겠습니다. 철수를 위해서요."

"그, 그런……."

다시 눈에 눈물이 차오르는 순덕을 일견한 종혁은 백종명을 봤다.

"그런데 후원 내역이 어떻게 쓰이는지 투명하게 알았으면 좋겠습니다."

"예?!"

'무슨!'

백종명의 얼굴이 일그러지려 하자 종혁은 얼른 말을 이었다.

"어머니 지갑에서 나오는 돈이다 보니 좀 알려야 해서. 이해 부탁드립니다."

"아……."

어젯밤 PD에게 들은 말을 떠올린 백종명은 잠시 갈등하다 고개를 끄덕였다.

"예, 알겠습니다."

'투명한지 아닌지 네가 알 수 있겠어?!'

"감사합니다. 그럼 그에 대한 후원 증명서를 쓰죠."

백종명은 냉큼 내밀었고, 종혁은 액수를 쓰고 사인을 했다.

액수에서 다시 감탄이 터져 나왔다.

종혁은 볼펜을 드는 백종명에게 황금 만년필을 내밀었다.

"모두에게 좋은 일인데, 좋은 걸로 서명하셔야죠."

"아하하. 잘 쓰겠습니다. 오, 잘 써지는군요!"

종혁은 아쉬워하며 만년필을 내미는 백종명을 보며 고

개를 저었다.

"기념으로 가지세요. 그런 건 많아서."

"헉!"

눈을 빛낸 종혁은 황금 만년필을 빤히 응시하는 이리나를 툭 치며 몸을 일으켰다.

"자, 그럼 짐 정리하러 가실까요?!"

"저, 정말 이 은혜를 어떻게 갚아야 할지."

건물은 내려온 그녀가 몸둘 바를 몰라한다.

"저만 후원하는 게 아닌걸요. 저희 모두가 바라는 건 어머님과 철수가 잘 사는 거예요. 정말 잘 사셔야 합니다, 어머님."

"흑!"

"에고. 엄마 또 우시겠다. 얼른 모셔 가라, 철수야."

"네!"

철수는 순덕을 잡아끌었고, 방송국 사람들도 그들을 따라갔다.

남겨진 종혁은 따라 나오지 않은 백종명이 있는 후원 사무실을 보며 씩 웃었다.

"덫은 놨다."

사기를 치려는 놈은 걸릴 수밖에 없는 덫이다.

"자, 이제 어떻게 나올래?"

왜인지 생각에 잠겨 있던 이리나가 그 말에 반응한다.

"응? 혁! 뭐라고 했어?"

"아냐. 우리도 가자."

그들은 다시 천덕으로 향했다.

* * *

백종명과 장 씨 노인만 남겨진 후원 사무실.

창문 앞에 서 있던 백종명이 돌아선다.

장 씨 노인이 부동산 매매 계약서를 내민다.

집 주소는 방금 전 순덕이 계약서를 쓴 파출소 옆 집이다.

"백 회장, 이거 진짜 문제없지?"

막상 일을 벌이려고 하니 심장이 떨린다.

백종명은 사람 좋게 웃었다.

"산골에서나 살던 모자란 년이 부동산 거래에 대해 알기나 하겠습니까?"

아무리 매매 계약서를 썼어도 신고 된 이름이 다르면 의미 없다. 순덕은 이사한 집의 명의가 정순덕이 아니라 백종명이란 건 꿈에도 모를 것이다.

"시골 년이 등기부등본을 떼어 볼 일도 없을 건데."

세금이야 이쪽에서 내주면 그만이다.

어차피 푼돈이다.

"혹여 들킨다고 하더라도 다 순박한 순덕 씨가 사기를 당할까 걱정돼서 그랬다고 하면 됩니다. 그러니……."

너만 입 다물면 된다.

백종명의 눈은 그렇게 말했다.

"푸흘흘흘. 나야 뭐 돈만 벌면 되니까!"

악인의 웃음이다.

'고작 5백에 조카 지인을 속이다니. 이놈도 참.'

'이놈은 악마야, 악마. 그래도 난 돈만 벌면 되지!'

악인 둘은 서로를 비웃었다.

백종명은 계약서에 인감도장을 꾹 찍었다.

"그럼 난 먼저 일어나지! 오늘 등록하려면 시간 없어! 다음에 또 불러 달라고!"

백만 원 뭉치 다섯 개를 보물인 듯 챙긴 장 씨 노인은 후다닥 달려 나갔다. 느긋이 창문 앞으로 걸어간 백종명은 뒤뚱뒤뚱 멀어지는 탐욕스러운 돼지를 경멸 어린 눈으로 보았다.

그는 어제 은행에서 정리한 후원 통장을 열었다.

약 2천만 원의 숫자가 찍혀 있다.

원래 5천인데, 나머진 썼다.

고작 한 달 만에 5천만 원.

매주 행해진 ARS 모금으로 3700만 원.

개인적 후원 1300만 원.

그 외 생활 필수품 등 기타 지원.

오늘 어린 호구 한 마리 덕분에 매매한 부동산까지 합하면 1억이 넘는다.

"돈 벌기가 이렇게 쉬웠나?"

옛날 하던 사업도 월 1억은 벌지 못했다.

새벽 4시부터 일어나 저녁 12시까지 일했어도.

그땐 정말 지옥이 따로 없었다.

죽을 만큼 힘들어도 버틸 수 있는 이유였던 아내가 바람이 난 후로 더.

"에이. 왜 그년이 떠오르고 지랄이야?"

하지만 바람난 아내를 쫓아 일본에 갔기에 이걸 배울 수 있었다.

얼마를 해 먹든 절대 처벌받지 않는 수법을.

백종명은 이런 행운을 안겨 준 사람에게 전화를 걸었다.

"김 대리, 회사엔 언제 입사시켜 줄 거야? 이 정도면 되지 않아?"

ㅡ데이터가 부족합니다. 입사는 그 이후에 이야기하죠.

"허. 나도 큰물에서 놀고 싶은데."

ㅡ적성에 맞으십니까?

"어. 맞아. 너무 맞아. 매순간 짜릿해서 죽을 것 같아."

ㅡ이제야 맞는 일을 찾으신 걸 축하드립니다.

"흐흐흐."

듣는 사람 아무도 없는 후원 사무실.

그는 마음껏 본성을 드러냈다.

그의 가슴팍에 꽂힌 황금 만년필이 빛났다.

*   *   *

살림살이가 얼마 없어서 그런지 이사는 금방 끝났다.

천덕 마을에서 유일하게 차를 가진 장 씨가 도왔고, 동하리 주민들은 새로운 입주민을 반겼다.

이웃인 파출소 경찰들도 카메라 때문인지 성심성의껏 도왔다.

"아니, 된장은 지금 넣으면 안 된다니까!"

"이거 어디로 가요?"

해가 어스름히 저물 무렵, 순덕의 새로운 보금자리가 떠들썩하다. 천덕 마을 어르신들도 모두 축하하기 위해 내려왔고, 동하리 주민들도 몰려들었다.

"꿰이익! 꿰이익!"

마당 한구석에서 돼지의 목이 갈라지며 피 냄새가 확 번진다.

"웩!"

"우욱!"

치솟는 토악질을 겨우 참아 낸 동기들이 종혁을 본다.

"조, 종혁아. 너 괜찮아?"

"뭘 이런 걸 가지고."

현장에 나가면 이보다 더한 것도 보고, 더한 냄새도 맡는다.

"일반인인 애나도 저렇게 태연한데 간부후보란 것들이. 쯧쯧. 반성해라."

"응? 나?"

"애나. 저거 보면 무슨 생각 들어?"

"……숯 사 올까? 삼겹살은 구울 거지?"

"봐. 반성해."

"너희들이 이상한 거거든!"

하얗게 질린 소영과 수호도 격하게 고개를 끄덕였다.

"어이구. 서울 청년들은 이런 거 처음 보나?"

"다들 귀하게 자라서 그래요."

"푸허허. 그래?"

종혁은 다가온 노인의 손에 들린 핏덩어리를 봤다.

다른 한 손엔 과도 한 자루가 들려 있다.

"간은 안 주셔도 돼요. 날것은 회밖에 안 먹어서요."

"아쉽구먼. 이게 진짜 맛있는 건데. 어이구! 백 회장 왔어?!"

"안녕하십니까, 어르신."

백종명이 뒷짐을 진 채 느긋이 걸어 들어온다.

모여 있던 마을 주민과 유지들이 벌떡 일어나 맞이한다.

순덕도 젖은 손을 옷에 닦으며 달려가 인사한다.

서울에서 큰 사업을 하지만, 철수를 위해 전문 경영인에게 맡기고 이런 시골로 내려온 의인의 등장에 모두가 안절부절못한다.

왕.

왕의 행차를 보는 것 같아 종혁의 속이 뒤틀린다.

일이 잘됐는지 참 밝은 백종명의 얼굴을 박살 내 버리고 싶다.

이쪽을 보며 안절부절못하는 철수의 시선이 살의를 더 돋운다.

까드득!

종혁은 몸을 돌렸다.

"나 잠깐 전화 좀."

"어? 어."

지금쯤이면 등기부 등록이 완료됐을 시간이다.

집에서 약간 떨어진 종혁은 핸드폰을 들었다.

"예. 접니다, 권 이사님. 이 주소로 등기부 등록된 사람 이름 좀 알아봐 주실래요?"

─네. 잠시만요. 전화 끊지 마세요.

권아영의 목소리가 멀어지자 마음이 조급해진다.

'미끼를 물었을까?'

멍청하다면 그 가치를 모르고 물지 않았을 미끼.

그러나 종혁이 본 백종명은 제법 머리를 쓸 줄 아는 똑똑한 인물이었다. 아마 미끼를 물지 않고는 못 배길 터였다.

그래도 초조해지는 마음에 종혁은 담배를 물며 평상에 앉는 백종명을 봤다.

"백 회장을 위하여!"

"위하여!"

부딪친 잔 속 막걸리가 꿀떡꿀떡 넘어간다.

왁자지껄.

기다릴수록 소리가 점점 뭉쳐진다.

─여보세요?

우직!

담배 필터가 뭉개진다.

"네. 듣고 있습니다."

─등기부에 등록된 사람 이름이 백종명이에요.

세대주는 정순덕이다.

–오늘 매입한 것 같은데요?

"……푸흐흐. 그럴 줄 알았지."

덫을 놨지만, 아니나 다를까다.

장 씨 노인도 한통속이었다.

–여보세요? 보스?

권아영의 목소리는 더 이상 들리지 않았다.

종혁은 백종명을 죽일 듯 노려봤다.

"빙고다, 씹새끼야."

세 밤까지 기다릴 필요도 없었다.

＊　　＊　　＊

풍덩! 풍덩!

"잡았다!"

"꺅! 하, 할 거야?"

"응. 할 거야."

"꽂아!"

푸웅덩!

소영이 뒤통수부터 계곡물에 꽂힌다.

"콜록! 켈록! 우웩! 이씨, 너희 다 죽었어!"

눈이 뒤집힌 소영이 달려들고, 이제 친구가 된 이들이
모두 흩어진다.

이미 물을 한 대야 먹은 수호는 바위에 널브러져 있고.

"1번 애나! 갑니다!"

큰 바위 위에 올라간 이리나는 폴짝 뛰어 또 배로 다이빙한다.

"아흑! 아파! 짜릿해!"

"……재도 정상은 아냐."

"응."

어제 이사 전, 마을 어르신들의 집 청소와 지붕 수리를 하고, 오늘 새벽부터 모두가 달려들어 잡초를 뽑은 후 새참까지 야무지게 먹은 그들은 모든 체력을 쏟아 버리겠다는 듯 정신 줄을 놓고 놀았다.

"우웩! 크우엑!"

"이번엔 철수다!"

"네?! 아, 안 돼요!"

"철수 잡아!"

"으아아앙!"

결국 잡혀 내리꽂힌 철수가 재밌었는지 해맑게 웃는다.

그렇게 물에 젖은 미역이 된 모두는 다음 타깃을 찾았다.

"음?"

물가 바위에 앉아 흐뭇하게 바라보며 수박을 조지고 있던 종혁은 몰리는 뜨거운 시선에 씩 웃으며 몸을 일으켰다.

뿌드득!

가슴을 펴자 몸이 한층 더 커진다.

"해보자고?"

"……씨발! 우리는 여덟이야! 덮쳐!"

"우와아아아!"

철수도 함성을 지르며 달려든다.

수박을 내려놓은 종혁이 양팔을 활짝 벌렸다.

"다 들어와!"

그 순간.

부스럭부스럭.

수풀이 흔들리는 소리에 모두가 멈춘다.

자신들을 제외하면 아무도 없어야 할 계곡.

누군가 나타나자 급 소심해진 그들은 등장한 인물을 보곤 고개를 모로 기울인다.

동기들은 어디서 본 인물 같아서.

소영과 수호는 본 인물이어서.

"어우. 뭐 이렇게 깊은 곳에 계곡이 있어?"

"그래도 사람 없어서 좋지 말입니다."

"그래? 다음에 팀 회식 여기로 올까? 어, 종혁아!"

종혁은 손을 흔드는 인물을 보곤 피식 웃었다.

"오셨어요, 삼촌?"

"우리 종혁이가 부르는 건데 당연히 와야지! 그것도 사건인데!"

'사건?'

"아."

아차 한 종혁이 입을 열었다.

"다들 인사해. 이쪽은 본청 특수범죄수사과 김종두 과장님과 직원들."

"헉! 충성!"

동기들이 다급히 차렷하며 경례했고, 소영과 수호는 그제야 김종두를 알아봤다.

"아아앗!"

"흐흐. 먼 미래 내 상관들이구먼. 반갑다. 본청 특수 김종두다."

동기들과 친구들은 그런 그의 등장을 의아해했다.

이에 김종두가 물었다.

"종혁아, 말 안 했어?"

"어제까진 확실한 게 아니었으니까요."

동기와 친구들의 고개가 더 기울어진다.

김종두는 종혁을 떨떠름히 보았다.

어젯밤 연락을 받고 얼마나 놀랐는지 몰랐다.

"네가 가는 곳마다 사건이 일어나는 건지, 아니면 네가 사건을 몰고 다니는 건지."

"하하."

"종혁아…… 무슨 일이야?"

한 동기가 조심스럽게 묻자 종혁은 사정을 설명했다.

"뭐?! 백 회장이?! 진짜?"

"어. 진짜."

"말도 안 돼!"

"넌 대체 그걸 어떻게 안 거야!"

종혁은 철수를 불렀다.

"네!"

철수가 다가오자 종혁은 그 얼굴에 손을 가져갔다.

움찔!

철수의 어깨가 움츠러들었다가 곧바로 해맑게 웃었다.

"봤지?"

"……."

"이런 개 씨발 새끼가!"

동기들도 배웠기에 안다.

철수의 반응이 어떤 일을 당했을 때 나타나는 건지.

그들은 부끄러워졌다.

경찰은 피해자가 보내는 구조 신호를 알아채야 한다.

경찰대 교수들이 귀에 인이 박히도록 한 말임에도 알아차리지 못했다. 그래서 종혁의 말이 꾸중처럼 들렸다.

김종두 과장과 특수의 형사들은 혀를 내두른다.

'고작 저걸로 의심했던 거야?'

최소 7년 이상은 형사 밥을 먹어야 겨우 의심할 수 있는 찰나의 반응이다.

'이놈 진짜 괴물이네.'

"이것 때문에 의심했는데 어젯밤에 결정적인 범행 증거가 나왔어. 미리 말 안 해서 미안."

"끄음……."

서운했지만, 말할 수 없다.

피해자의 구조 신호를 알아차리지 못한 건 자신들이고, 해가 온전히 지기 전부터 취해 있던 것도 자신들이니 말이다.

천덕까지 올라온 것도 장 씨의 차가 아니었으면 불가능
했다.

종혁은 김종두를 봤다.

"영장은요?"

"흐흐. 발급받아서 왔다."

종혁이 넘겨준 증거만 해도 압수수색영장을 받기에 충
분했다.

"그런데……."

김종두 과장이 얼굴이 어두워진다.

미성년자 유산 상속 시 일어나는 사건들과 비슷한 사건이다.

자칫 놈이 법망을 빠져나갈 수 있다.

"괜찮아요. 나머지 증거는 거기 있을 테니까."

"음?"

"놈의 동의까지 얻은 확실한 증거가."

"응?"

종혁은 그럴 수 있냐며 의아해하는 이들의 시선을 일견
하며 철수를 봤다.

"철수야, 많이 기다렸지?"

"네?"

"이제 그 나쁜 아저씨 혼내 주러 갈 건데, 같이 갈래?"

"……네!"

종혁은 동기와 친구들을 봤다.

"어쩔래?"

"뭘 물어! 당연히 가야지!"

"가자! 그 개새끼 잡으러!"

그들은 백종명이 있는 후원 사무실로 우르르 향했다.

* * *

철수 후원 사무실.

백종명이 푸근한 미소로 허름한 옷차림의 노부부를 응대한다.

"정말 좋은 일 하시는 겁니다."

'흐흐. 또 호구가 굴러 들어왔군.'

읍내 시장에서 장사하며 한 푼 두 푼 힘들게 모았지만, 불쌍한 철수를 위해 흔쾌히 투척하는 노부부.

"비록 얼마 안 되는 돈이지만, 철수에게 도움이 됐으면 좋겠습니다."

"예. 꼭 철수를 위해 쓰도록 하겠습니다."

'내가 잘되는 게 철수가 잘되는 거지!'

오늘만 벌써 5백만 원을 벌었고, 이후 약속만 두 건이다.

'돈 벌기 진짜 쉽다니까—!'

그는 찢어지는 입을 제어하느라 혼쭐이 났다.

"어르신들. 여기 보고 웃어 주세요!"

이 겉으로 흐뭇한 광경을 지방 신문 기자가 찍는다.

찰칵!

환하게 웃는 백종명과 쑥스러워하는 노부부가 악수하는 모습이 필름에 담긴다.

"여기까지 오셨는데, 철수를 보고 가시겠습니까?"

"아뇨. 한창 공부할 시간일 텐데, 방해해서 쓰나요."

"어이구. 그래도……."

'진짜 호구네, 호구야!'

"그럼 저흰 가 보겠습니다. 철수 잘 부탁드립니다."

"예, 예. 걱정 마십시오!"

백종명은 문까지 그들을 배웅했다.

그 순간.

벌컥!

문이 열리며 김종두와 다른 이들이 어슬렁 들어왔다.

"오, 역시 있었네."

"뭐, 뭡니까!"

"누구요!"

회색 항공 점퍼에 면바지, 껄렁한 걸음까지.

못된 사람이라 생각한 노부부가 백종명 앞을 가로막는다.

그러다 뒤이어 들어오는 사람들을 발견하곤 놀란다.

"……철수?"

백종명은 다른 이도 발견하며 놀란다.

"너, 넌?"

종혁이다.

차갑게 노려보는 종혁의 시선에 뭔가 잘못된 걸 느낀다.

'설마?!'

"어이구. 어디 보시나. 여기 봐야지?"

화들짝!

백종명은 드밀어진 경찰 배지와 영장에 경악했다.

"겨, 경찰?!"

"백종명 씨? 당신을 사기 및 김철수 군 폭행, 갈취, 횡령 등의 혐의로 체포합니다. 당신은 묵비권을 행사할 수 있고……."

미란다원칙이 읊어지자 백종명의 머리가 엉클어진다.

하지만 살려고 하니 입이 절로 열렸다.

'그들이 이 상황엔 이렇게 하라고 했어!'

설계도에도 나와 있고, 설계자에게도 들은 대응법.

백종명의 얼굴이 느긋해진다.

"뭣 때문에 이러시는지 이해를 할 수 없군요. 뭔가 오해가 있는 것 같은데 일단 앉아서 이야기하시겠습니까?"

"뭐?!"

"이 나쁜 인간아! 그게 할 말이냐!"

동기들이 버럭 하지만, 종혁과 김종두 과장, 형사들의 눈빛은 무심했다.

김종두 과장이 입술을 뒤튼다.

"아, 그러세요. 철수 집 명의를 자기 걸로 해 놓고도 무슨 일인지 모르시겠다?"

노부부와 기자가 눈을 크게 뜬다.

'빌어먹을! 그, 그게 어떻게 들킨 거지? 설마?'

반사적으로 종혁에게로 시선이 간다.

그렇지 않다면 종혁이 여기 나타날 리 없다.

하지만 괜찮다.

이마저도 대응하는 방법이 있다.

"아, 그거 말이군요. 순진한 철수 어머님이……."

"혹여 사기를 당할까 봐 당신 명의로 했다, 철수가 성인이 되면 명의 이전을 하려고 했다?"

흠칫 놀란 그가 종혁을 봤다.

"그런 거라고요?"

'어떻게 그걸?!'

"그, 그렇습니다."

"이야. 훌륭하네."

박수를 친 종혁이 백종명의 멱살을 잡아챘다.

"켁!"

버럭 화를 내려던 백종명은 잡아먹을 것 같은 사나운 종혁의 눈빛에 입을 다물었다.

종혁은 이를 드러냈다.

"어떻게 설계도랑 똑같은 말을 하지? 대가리가 없나?"

"……뭐, 뭣?!"

"어이구. 비싼 거라고 소중히 간직도 했다."

종혁은 백종명의 앞섶에서 황금 만년필을 꺼냈다.

그러고는 이리저리 만지더니 끝을 꾹 눌렀다.

그러자…….

위이이잉!

기계가 작동하는 소리.

황금 만년필에서 두 사람의 대화가 흘러나온다.

-백 회장. 이거 진짜 문제없지?

장 씨 노인의 목소리다.

－산골에서나 살던 모자란 년이 부동산 거래에 대해 알기나 하겠습니까? 시골 년이 등기부등본을 떼어 볼 일도 없을 건데. 혹여 들킨다고 하더라도 다 순박한 순덕 씨가 사기를 당할까 걱정돼서 그랬다고 하면 됩니다. 그러니…….

"허어억!"

'이, 이게 뭐야!'

백종명의 머릿속이 완전히 엉클어졌다.

"야. 이래도 아니냐?"

"……이, 이건 무효야! 동의가 없는 도청은 불법이라고 했다고!"

맞다. 도청은 불법이다.

피식 웃은 종혁은 다시 만년필 끝을 꾹 눌렀다.

－지금부터 말하는 모든 내용은 법적인 증거가 된다는 걸 명시합니다. 인정하십니까?

"……."

"너도 동의했다? 나 분명히 이것도 같이 보여 줬어?"

끝났다.

모든 게 끝났다.

머릿속이 하얗게 변한 백종명은 눈이 돌아갔다.

"놔－! 이 씨발－!"

종혁의 팔을 뿌리친 백종명은 문을 향해 달려갔다.

그 순간!

"어딜!"

김종두가 발을 걸자, 백종명의 몸이 붕 떴다.

쿠당탕!

바닥을 뒹구는 백종명을 형사들과 동기들이 덮쳤다.

"크악! 놔! 놔아–!"

찰칵! 찰칵! 찰칵!

사람 좋은 독지가 백종명의 추악한 민낯이 드러났다.

압수수색이 시작되자 사무실이 어수선해졌다.

종혁은 양팔이 붙들린 백종명에게 경고를 했다.

"철수 폭행 묻을 수 있을 것 같지? 애가 모자라다고? 아냐. 꿈도 꾸지 마. 내가 고법원장급 변호사를 붙일 거거든. 나 돈 많다?"

파랗게 질린 백종명은 고개를 푹 숙였다.

"클클. 데려가!"

종혁은 동기들에게 둘러싸여 위로를 받고 있음에도 얼떨떨 멍해 있는 철수의 머리를 쓰다듬었다.

"형?"

"다 끝났으니까 이제 하기 싫은 건 안 해도 돼."

"저, 정말요? 막 싫은데 안 웃어도 돼요?"

"응. 이젠 네 마음껏 뛰어 놀아도 돼."

인생극장 철수 편의 제목, '철수야 놀자'처럼.

"……네!"

철수는 그제야 몇 주 만에야 진짜로 웃을 수 있었다.

모든 수고가 아깝지 않은 미소였다.

3장. 붕괴

붕괴

전국이 뒤집혔다.

20명도 살지 않는 산골 마을의 철수.

기뻐도 슬퍼도 언제나 해맑게 웃으며 매주 금요일 국민들을 울리고 웃기던 철수.

그런 철수를 후원하던 후원회장의 추악한 민낯이 드러났다.

당연히 사람들은 들고 일어날 수밖에 없었고, 방송국에도 이런 걸 몰랐냐고 너희도 한통속 아니냐며 불똥이 튀었다.

이에 서울지방검찰청이 발 빠르게 움직였고, 이번 사건을 해결한 특수범죄수사과와 함께 국민들의 칭송을 받았다.

아니, 서울지방검찰청은 이미 백종명이 검거된 그 순간, 이번 사건에 대해 인식하고 있었다.

"후. 이거 최 선수 덕분에 체면치레했군."

검사장실.

기필코 법의 엄중한 심판을 받게 하겠다는 말로 기자들과 인터뷰를 마치고 돌아온 검사장이 흡족하게 웃는다.

백종명 검거 당시 지방 신문의 기자가 있었는데, 그가 검거 두 시간 만에, 즉, 김종두가 본청에 복귀하는 그 순간에 특종으로 때려 버렸다.

이에 검사장은 혹여 경찰보다 느린 검찰이라는 말이 나오기 전에 기자들을 불러 모았다.

아마 늦었으면 일단 언론에 욕부터 얻어먹고, 경쟁자들이 채어 갔을지도 모른다.

사건을 벌이기 전까지 주거지가 없던 백종명.

힘이 없는 춘천지방검찰청.

먼저 낚아채는 놈이 임자였다.

종혁이야 검찰에서부터 혼내 달라고 연락한 것일 게 분명하지만, 그래도 빚을 졌다.

"종혁이는 잔뜩 혼내 놨으니까 걱정 마이소."

"아니, 최 선수를 왜 혼내?!"

강철선은 정색했다.

"그럼 그 위험할지도 모르는 곳에 또 기어 들어갔는데 한마디 안 해야겠습니꺼? 지가 진짜 경찰도 아이고! 아니, 경찰이라 캐도!"

검사장은 헛웃음을 터트렸다.

"그래. 물고 빨고 네가 다 해라."

"검찰로 턴 할 때까지 그럴 겁니더."

검사장이 눈을 빛냈다.

아직은 일반인 신분이라 겉으로 드러나진 않았지만, 벌써 대형 사건을 몇 개나 해결한 진짜배기다.

스타가 될 가능성이 다분했다.

또 성품은 어떤가.

이런 인물은 무조건 라인에 둬야 했다.

"……가능하겠어?"

"갱찰하다가 턴 하는 경우가 있잖습니꺼."

극히 드문 케이스인데 기껏 사건을 올려 보내도 일부 나쁜 검사들이 커트해 열이 받거나, 경찰 수사력의 한계를 느낄 때 검사가 되는 경우가 있다.

"괴롭히겠다고?"

강철선은 기겁하며 고개를 저었다.

"무슨! 좋은 것만 보여 줘도 모자랄 판에!"

결국 옆에서 계속 부추기기만 한단 소리다.

지금까지처럼.

"에라이."

강철선의 낯빛이 굳는다.

"그놈아 지 하기 싫은 일은 죽어도 안 합니데이. 이 방법밖에 없습니더."

'……하긴 그 정도 실력이면 금세 경찰 수사력의 한계를 느끼겠지.'

성능이 좋은 배일수록 큰 파도를 빨리 만나는 법이었다.

"그래, 노력해 봐."

"그러려면 이번 사건을……."

"담당으로 최 부장, 공판으로 박 프로. 됐냐?"

"흐흐. 충성."

"충성은 니미. 됐고. 이제 슬슬 부장으로 진급할 준비해야지."

강철선이 눈을 빛냈다.

"이번 닷컴 버블만 마무리하겠습니더."

"좋아. 그럼 내년에 부장 진급하는 걸로 해."

"딸랑딸랑. 영원히 충성하겠습니더."

"용무 끝났으면 가, 인마."

"아."

"왜 또? ……오늘 저녁에 소고기. 됐냐?"

"흐흐. 사랑합니데이."

검사장은 몸을 돌리는 강철선을 보며 아차했다.

"이번 사건 명칭이 뭐라고?"

"후원 사기입니더!"

익살맞게 웃은 강철선이 나가자 검사장은 고개를 저었다.

"또라이 같은 놈."

평검사 중 검사장에게 이렇게 살갑게 구는 인물은 강철선 하나뿐일 거다. 기분 좋게 웃은 그는 갑자기 눈빛을 가라앉히며 전화기를 들었다.

"넘어와."

이윽고 중수부장이 넘어왔다.

소파에 앉은 검사장이 담배를 문다.

"명칭이 후원 사기란다."

"커피도 안 주시고 본론입니까?"

"서로 바쁜 거 아는데 커피는 무슨."

혀를 찬 중수부장은 날카로운 눈매를 가린 안경을 치켜세웠다.

"후원 사기라…… 때깔 좋군요."

검사장도 같은 생각이라는 듯 입술을 비튼다.

"누구 작품입니까?"

"알고 있잖아."

대검 중수부가 이번 사건의 내막을 모를 리 없다.

"철선이가 턴 시킬 작업한다니까 기다려 봐."

"푸후. 이거 최 선수에게 또 빚을 졌군요."

검사장의 표정이 굳는다.

"그 정도야?"

"범죄자 인권도 신경 쓰랍니다."

"……그건 뭔 신박한 개소리야?"

"그런 개소리를 태연하게 지껄이더군요. 소위 인권 단체라는 것들이."

현재 대한민국엔 인권 단체, 후원 단체들이 무분별하게 세워져 목소리를 높이는 중이다. 좋은 쪽으로만 활동하면 모르겠는데, 일부 단체가 언론을 앞세워 법조계에 영향을 끼치려고 해서 문제다.

"총장님도 골치 아파하십니다."

"벌써? 누가 얽혔기에?"

"초선 김 의원, 2선 박 의원, 뭐…… 표 노리는 놈들 전부죠."

현재 법조계 머리끝에 올라서려는 인권 단체, 후원 단체 뒤에 정치인이 얽혀 있다.

"골치 아플 만하네."

"지금이야 핫바지들이지만, 이게 통한다 싶으면 거물들도 나설 테니까요."

이런 상황에서 이번 사건이 터졌다.

시기적절하게.

"염병할. 3선, 4선 해 먹었으면 은퇴 좀 하지."

동의한다는 듯 고개를 끄덕인 중수부장이 담배를 끄며 일어선다.

"어떻게 하려고?"

"이렇게 예쁘고 친절하게 대응법을 설명해 줬는데, 가만있어야 되겠습니까?"

화려한 만년필로 위장한 녹음 장치를 다른 녹음 장치와 함께 내밀며, 녹음에 대한 법적 인정을 하게 만든 게 압권이다.

거기다 곧 판례까지 만들어진다.

중수부장의 눈이 칼날보다 서늘하게 눈을 빛난다.

"머리채 잡고 입맛대로 휘둘러 보렵니다."

"호오."

불도저처럼 밀어 버리는 게 아니라 약점을 잡아 휘두른다.

중수부다운 수법이었다.

"아, 총장님이 조만간 필드 한번 나가자 하시더군요."

"……그게 왜 네 입에서 나와?"

"오늘 일로 통화 중 혼잣말하시는 걸 들었습니다."

중수부는 대검이 아니라 검찰총장 직속의 조직이다.

대검찰청 모든 부서 중 차장검사를 거치지 않아도 되는 유일한 조직.

"그래?"

굳은 얼굴이 풀린 검사장은 입술을 비틀었다.

'진짜 최 선수가 복덩이군.'

혹여 종혁이 경찰로 남는다고 해도 무조건 돌봐 줘야겠다는 생각이 든다.

"영전, 미리 축하드립니다."

"그래, 고맙다. 나도 미리 우리 중앙 잘 부탁할게."

중수부장이면 거의 차기 서울지방검찰청 검사장이다.

검찰 전체에 인물이 없으면 거의 백 퍼센트다.

더욱이 중수부장은 서울지방검찰청의 장을 오랫동안 노린 인물.

중수부 끗발이 세다지만, 위로 향하기 위해선 서울지방 검찰청의 검사장이란 커리어를 달고 있는 게 유리했다.

씩 웃은 중수부장은 정중히 허리를 숙이고 나갔고, 검사장은 혀를 찼다.

"뜻이 맞아서 다행이었지."

아니었으면 벌써 잡아먹혔을지도 모른다.

그만큼 위험하고 신비로운 인물이 중수부장이다.

고개를 저은 검사장은 핸드폰을 들었다.

"예, 총장님. 접니다. 잘 계셨습니까?"

한편, 대검으로 넘어온 중수부장은 따라붙는 검사를 보며 입을 열었다.

"이번 일에 제외된 애들 보고 조선족, 중국, 화교 애들 다시 때리라고 해. 아니, 이제부턴 반년마다 정기적으로 때려. 단순 소매치기도 최대 형량으로."

"예."

"그리고 너도 인사 이동할 준비하고."

눈이 동그래진 검사가 뒤로 두 발 물러서며 허리를 깊이 숙였다.

"영전을 미리 축하드립니다!"

중수부 복도를 쩌렁쩌렁 울리는 외침.

일에 열중하던 검사들이 모두 뛰어나와 허리를 숙였다.

"영전을 미리 축하드립니다-!"

중수부장은 흡족하게 웃으며 몸을 돌렸다.

검찰에 작은 지각변동이 일어나고 있었다.

* * *

새 학기가 시작됐다.

경찰대 학생들은 마치 방학 내내 땡볕 아래서 막노동을 하고 온 것처럼 흑인이 된 종혁과 다섯을 보며 입을 벌렸다.

교수들도 마찬가지였다.

그러나 이내 곧 방학 동안 그들이 한 일을 들은 그들은 무척이나 부러워하며 함께하지 못한 것에 안타까워했다.

그렇게 며칠이 흘렀다.

사락!

"흠."

신문을 보는 종혁이 고개를 모로 기울인다.

"뭐야. 왜 이렇게 인권 단체들을 때려?"

여길 봐도 저길 봐도 인권 단체와 후원 단체의 비리가 폭로되고 있다. 심지어 대기업 노조의 비리도 다뤄지고 있다.

대기업의 횡포다, 검경의 함정수사다, 하며 성토하고 있지만, 여론이 그들을 도둑놈, 역적 취급을 하고 있다.

대중들의 반응은 보지 않아도 알 것 같은 수준이다.

"선량한 사람들까지 도매급으로 넘어가지 않으면 좋겠네……."

혀를 찬 종혁은 벽에 걸린 달력을 보며 이를 악물었다.

9월 12일.

뉴욕 날짜로 9월 11일.

오늘은 전 세계가 충격에 빠지는 일이 일어난다.

종혁은 축축하게 젖은 손바닥을 매만지며 TV를 켤까 말까 고민했다.

'막았을까? 막았겠지? 못 막았으면 어쩌지?'

TV를 켰을 때 회귀 전 그 장면이 나온다면 버틸 수 있을까.

이런 마음에 선뜻 리모컨을 잡을 수가 없다.

띠리링! 띠리링!

흠칫 놀란 종혁은 반사적으로 핸드폰을 잡았다.

"여보세요?!"

─……TV를 켜요, 나의 친구.

힘이 없는 목소리의 주인은 나탈리아다.

"빌어먹을!"

덜컹 심장이 내려앉은 떨리는 손으로 TV를 켰다.

그리고.

─슈우우우우웅! 꽈아앙!

비행기 한 대가 하얀 건물을 향해 내리꽂힌다.

거대한 폭발이 일어나고 아비규환이 된다.

─꺄아아악!

─으아악!

종혁은 눈을 질끈 감았다.

회귀 후에도 반복된 끔찍한 악몽.

분노가 머리끝까지 솟는다.

까드득!

"경고를…… 안 한 겁니까?"

─했어요. 하지만 최. 미국에서 하루에 뜨는 비행기가 몇 대인지 아나요?

모른다.

─그래도 이 정도로 끝나서 다행이에요.

"다, 다행이라고요?!"

-펜타곤이나 백악관, 뉴욕 한복판에 추락한 것보다는 나으니까! 그쪽으로 향하려던 놈들은 모두 잡았으니까!

"……아."

쌍둥이 빌딩 테러. 일명 9.11 사태.

회귀 전에는 뉴욕 심장부에 위치한 세계국제무역센터 일명 쌍둥이 빌딩이 테러를 당했다.

이때 수천 명의 인명 피해가 발생했다.

'그래. 그 끔찍한 일에 비하면 이 정도는…….'

이번에는 쌍둥이 빌딩이 아니라 국회의사당이다.

'많이 다쳐 봐야…….'

"지랄! 많이 죽든 적게 죽든 죽는 건 똑같잖아!"

생명의 무게는 동일하다.

막을 수 없는 참사라 가슴이 찢어지도록 아프다.

-자책하지 말아요. 이 정도로 막을 수 있었던 건 당신의 충고 덕분이었어요.

"그래도……."

-미국은 개인이 아무리 경고를 해 봤자 들어 먹을 나라가 아니에요. 아니, 어느 나라건 마찬가지죠. 혹여 당신이 테러를 하겠다고 경고장을 날렸어도 그들은 무시했을 거예요.

그 말이 죄책감을 작게나마 덜어 준다.

"……인명 피해는요?"

-현재까지 127명 사망, 32명 중경상이에요.

이날, 공항에서 테러리스트가 검거되자 주요 관공서나 랜드마크가 깔끔하게 비워졌다.

사망자가 발생한 건 폭발의 충격과 파편에 당한 일반인. 그리고 비행기에 타고 있던 승객 전원이었다.

"……후. 알려 줘서 고마워요. 그리고 화내서 미안해요, 나탈리아."

－뭘요. 충분히 이해해요. 음, 할 말이 많긴 하지만 오늘은 이만 끊을게요. 너무 마음 아파하지 마요, 내 친구.

"……예."

종혁은 다시 TV를 응시했다.

미국의 현 대통령이 딱딱하게 굳은 얼굴로 등장했다.

－미국의 심장부가 공격을 받았다. 우리 미국은 결코 참지 않을 것이며…….

살의가 들어찬 두 눈이 정면을 보며 복수를 천명한다.

"막긴 막았어도 결국 그 전쟁이 일어나는구나."

미국의 잔혹한 복수 전쟁.

수많은 젊은 피가 쓰러져 간 참혹한 전쟁이다.

띠리링! 띠리링!

"예, 최종혁입니다."

－보스! 뉴스 보셨습니까?!

박태규다.

"지금 보고 있습니다."

－어떻게 이런 일이…… 대체 왜…….

혼란해하고 슬퍼하던 박태규가 정신을 붙잡는다.

사냥꾼으로서의 그의 본능이 현 상황을 직시하며 분석한다.

—오늘 일을 기점으로 미국 증시 전부가 붕괴될 겁니다.

그렇지 않아도 올해 초부터 조금씩 무너져 가던 나스닥에 치명타가 가해졌다.

나스닥이란 거대한 거성은 와르르 붕괴될 것이다.

박태규는 오늘 장이 열리는 순간 서킷브레이크가 발생한다는 것에 전 재산을 걸 수 있었다.

"태규 씨, 포지션은 계속 유지합시다. 11월까지."

—보스!

"CIA, FBI, NSA 등 미국 수사기관 전부가 눈에 불을 켜고 있을 겁니다. 이런 상황에서 잘못 움직였다간……."

—타깃이 되겠군요.

타깃만 되면 다행이다.

미국이란 거대한 국가가 공격을 할 수도 있었다.

"미국 직원들에게 사망자 전원과 그 유가족을 책임지라고 하세요. 부상자도."

—피해 복구 모금도 진행시키겠습니다.

"유가족, 피해자들이 돈 걱정 없이 살 수 있게 만드세요."

—미국 회사 전부를 움직이겠습니다.

종혁은 고개를 끄덕였다.

나름의 사죄.

종혁은 죄책감을 조금 더 덜 수 있었다.

—보스, 선물 시장이 요동칠 겁니다.

세계 경찰 미국이 전쟁을 선포했다.

관련 주가가 미친 듯이 날뛸 것이다.

"그것도 포기합니다. 먹을 게 없을 테니까."

―아. 죄송합니다. 미국의 국방 전력을 잊고 있었네요.

어떤 나라건 며칠 만에 쑥대밭이 될 것이다.

단타라면 모를까, 지금 선물 시장에 끼어드는 건 자살 행위였다.

"뭐, 그래도 미국 직원들 의지까지는 막지 마세요."

―하하. 잃든 따든 디코이를 하라는 말이죠?

미국에 세운 회사들 중 어디는 딸 것이고, 어디는 잃을 것이다.

그게 그들 회사들이 하나의 뿌리에서 시작됐다는 걸 모르게 만들 것이다.

그 회사들조차도 서로가 한 편이라는 걸 모르지만 말이다.

―예. 그럼 그날이 될 때까지 침묵하겠습니다.

"수고해 주세요."

탁!

핸드폰 폴더를 닫은 종혁은 이제 다음 뉴스로 넘어간 TV를 빤히 바라보다 일어섰다.

―오늘 비열한 사기꾼 백 씨에 대한 최종 공판이…….

아침 운동을 하러 갈 시간이었다.

* * *

나스닥에 적신호가 켜졌다.

여길 봐도 저길 봐도 온통 빨간 불빛.

공포와 혼란이 나스닥을 뒤흔들고 있지만, TV에선 대통령이 테러리스트를 향해 복수만을 외친다.

대중의 시선도 모두 그쪽으로 쏠려 있다.

그런 외면 속에 미국의 나스닥은 무너지고 있었다.

뉴욕 월 스트리트의 AT 모건.

"……."

하얀 수염이 인상적인 덩치 큰 노인이 떨리는 손을 겨우 움직여 시가를 문다.

등 뒤로 언제나 시끄러운 빌딩 숲이 펼쳐져 있지만, 오늘만큼은 지옥의 불바다에 있는 놀이공원인 것 같다.

그의 앞에는 조카이자 이 일을 예견한 존이 하얗게 질린 얼굴로 서 있다.

"어, 얼마라고?"

"KP 컴퍼니, 실론티 홀딩스, 맥심 컴퍼니, TOP 스타……."

"얼마냐고!"

"나스닥이 2퍼센트만 더 하락하면 40억 달러입니다……."

겨우 불을 붙인 시거가 화려한 카펫 위로 떨어진다.

만 달러가 넘는 카펫이 검게 그을리지만 노인은 신경 쓰지 못했다.

나스닥 60퍼센트 하락 시 40배.

호황에도 불황에 투자를 하는 도박 중독자들의 돈을 빨아 먹기 위해 만든 총 1억 달러어치 투자 상품이 총알이 되어 돌아왔다.

닷컴은 그가 판단했던 진흙 속에 묻힌 다이아몬드가 아니었다.

애초부터 무너질 모래성이었다.

너무 높이 쌓여져 갔기에 무너지지 않는 바벨탑이라 착각했을 뿐이다.

말이 40억 달러다.

그 돈을 지불했다가는 AT 모건에서 노인이 설 자리는 없어진다. 주주들이 가만히 있지 않을 것이다.

"저, 접촉해 봤어?"

지금이라도 권리를 행사하게 만들어야 한다.

40퍼센트 하락 시 20배.

이것도 천문학적인 액수지만, 여기서 끝내게 만들어야 한다.

그래야 목숨이라도 부지할 수 있다.

존은 참담한 얼굴로 고개를 저었다.

"모두 하나같이 만기 때 보자고……."

쾅!

"이 미친놈들이!"

얼굴이 새빨개진 노인의 머릿속이 살길을 찾기 위해 맹렬하게 돌아간다.

"다, 다른 곳은? 다른 투자사들 총피해액은!"

"현재까지 제가 파악한 것만 천억 달러가 넘는 걸로……."

"맙소사."

정신이 아득해지는 액수다.

하지만 덕분에 살길을 찾았다.

"그래, 그렇게 엮으면 되겠어."

나스닥 붕괴의 트리거가 된 사건.

얼마 전 일어난 9.11 테러.

'내가 살기 위해서 어쩔 수 없어!'

그는 오랜 친구에게 전화를 걸었다.

"오랜만이야, 론."

FBI 부국장, 로날드 재커.

－이게 얼마 만이야!

"한 반년 만이지. 다름이 아니라 얼마 전 끔찍한 테러를 저지른 테러리스트의 자금줄을 찾은 것 같아서 말이야."

존이 경악하며 노인을 본다.

노인은 그런 조카를 외면하며 이를 악물었다.

살기 위해서다.

이쪽이 살기 위해선 그들을 죽여야 했다.

그러나.

－설마 KP 컴퍼니, 실론티 홀딩스, 맥심 컴퍼니 등을 말하는 건가?

"오, 알고 있군! 역시 FBI야!"

－……하. 자네도 그 말인가?

"음?"

－TV를 켜서 뉴스를 봐, 친구. 내가 해 줄 말은 이게 전부일 것 같군.

노인은 그 말을 끝으로 끊겨 버린 전화를 멍하니 보다 TV를 켰다. 그리고 이내 곧 얼굴을 구겼다.

−저희 KP 컴퍼니는 이번 테러에 휘말려 안타깝게 사망한 피해자의 유족에게⋯⋯.

각기 백만 달러씩 위로금을 지불하겠다.

"뭣?!"

그런데 KP 컴퍼니뿐만이 아니다.

이후 등장한 실론티 홀딩스, 맥심 컴퍼니 등 AT 모건이 막대한 돈을 지불해야 되는 30여 곳의 회사 전체가 각기 백만 달러씩 지불하기로 했다.

마치 짜기라도 한 듯.

한 가정당 약 3천만 달러.

노인은 눈앞이 아득해졌다.

돈의 액수가 문제가 아니다.

이들의 결정에 전 미국이 찬사를 보낼 것이란 점 때문이다.

민중의 지지를 얻은 그들을 테러리스트로 몰았다간 역풍 정도로 끝나지 않을 터였다.

"⋯⋯끝났군."

노인의 두 눈에서 더 이상의 빛을 찾아볼 수 없게 되었다.

* * *

버지니아 주, 랭리의 CIA.

톡! 톡! 톡!

털이 숭숭 난 두꺼운 검지가 책상을 두드린다.

"재밌군."

부하 직원이 내민 보고서를 읽던 동아시아관리팀의 팀장이 실소를 터트린다.

"판타지 소설보다 재밌어."

혜성처럼 월가에 등장해 승승장구를 하던 KP 컴퍼니 등 30여 곳의 투자회사. 지금은 나스닥 하락에 포지션을 잡은 그 30여 곳의 배후에 권&박 홀딩스가 있다는 말도 안 되는 소설.

"자네, 소설가로 전향을 하려는 건가? 아니면 FBI 그 미친 영감의 사주를 받은 건가?"

벌써 10년째 FBI 부국장직을 역임하고 있는 늙은 짐승, 로날드 재커. 그런 로날드 재커가 있는 FBI에서 이들 30여 곳의 투자회사가 테러리스트의 자금줄이 아니냐는 의혹이 나왔다.

그러나 전 국민이 찬사를 보내고 있기에 묵인하는 상황이었다.

"아니지. FBI의 사주를 받았다면 알 카에다를 말했겠지."

국내 치안만 담당하는 FBI라면 죽었다 깨어나도 모를 정보다.

"하지만 흡사합니다!"

투자 성향이 권&박 홀딩스와 너무 흡사하다.

마치 예견이라도 한 듯 한국의 IMF와 러시아 모라토리

엄, 에콰도르 금융 위기에서 막대한 돈을 번 권&박 홀딩스.

그들의 냄새가 너무 진하게 풍긴다.

30여 곳의 회사 전부가 2001년 초부터 하락장에 포지션을 잡고 가만히 기다렸다는 점 때문에 더.

그러나 그렇게 말할수록 팀장의 얼굴은 더 구겨져 갔다.

"그만."

"팀장님!"

"퇴직하고 소설가로 전향할 게 아니라면 당장 꺼지도록 해. 그 허황되고 멍청한 말로 더 이상 내 귀를 더럽히지 말고!"

"……예."

입술을 깨문 부하 직원이 몸을 돌려 나가자 경멸로 가득 차 있던 팀장의 얼굴이 무심해진다.

"권&박 홀딩스라…… 감이 좋군."

꽤 근접하게 접근했다.

다만 권&박 홀딩스가 아니라 30여 곳의 투자회사 뒤에 러시아 정부가 있다는 게 다를 뿐이다.

그렇게 생각할 수밖에 없는 게 자금 흐름의 행적을 알수 없도록 만든 부분에서 러시아 정보부의 냄새가 강하게 났기 때문이다.

즉, KP 컴퍼니 등 30여 곳의 회사는 러시아가 기존의 자금줄 외에 새롭게 만든 비밀 자금줄.

CIA 상부는 그렇게 판단하고 있었다.

"그 권&박도 러시아에 포섭됐을 테지."

권&박 홀딩스가 갑자기 세계에 퍼트린 자금을 회수했을 때와 그 '나탈리아 보디아노바'가 한국의 지부장이 된 시기가 일치한다.

30여 곳의 회사가 세워진 시기까지도.

러시아 모라토리엄 사태 때문이라도 권&박 홀딩스를 주목하고 있었을 테니 백 퍼센트라고 봐야 했다.

"우리가 먼저 요원을 파견했는데…… 쯧."

안타깝다.

상부가 조금만 더 빨리 권&박 홀딩스를 포섭하겠다는 결정만 내렸어도 CIA의 새로운 자금줄이 생겼을 거다.

팀장은 책상 옆 철제 서랍에서 하나의 서류를 꺼냈다.

"종혁 최."

처음엔 권&박 홀딩스의 진짜 주인이 아닌가 생각했던 존재.

러시아 최고위층의 꼭두각시로서 한국의 IMF와 러시아 모라토리엄에 대신 개입한 게 아닌가 생각되는 존재.

그런데 그 생각이 맞았다.

권&박 홀딩스가 러시아에 넘어간 게 확실시되고 있는 상황이기에 맞다고 봐야 했다.

그 나탈리아가 자주 접촉하기에 더.

그러나 무시해야 된다.

이번 테러를 러시아가 경고해 줬기에 무시해야 되고, 그쪽은 쳐다보지도 말아야 한다.

"그래도 아까운데……."

러시아의 누구인지는 모르겠지만, 그래도 최고위층은 확실시되고 있다.

잘만 꼬드기면 치명적인 비수로 쓸 수 있었다.

하지만 그게 아니라도 인물 자체에 욕심이 난다.

스포츠 과학을 10년 정도 발전시켰다 판단되는 천재.

그의 이론이 러시아에서 비롯되지 않았다는 건 이미 조사된 결과다.

즉, 종혁은 미국의 전투력을 높여 줄 인재였다.

"흐음."

그는 경찰 정복을 입은 채 환한 미소로 경례하고 있는 종혁의 사진을 응시했다.

"경찰 간부후보생이라……."

어떻게 하면 전향시킬 수 있을지, 뭘 원하는지, 지금 뭘 하고 있을지 팀장의 머릿속이 빠르게 돌아가기 시작했다.

* * *

CIA 팀장의 머릿속을 복잡하게 만든 종혁은 현재 청송 교도소에 와 있었다.

"여긴 언제 와도 음울하네."

인생 막장 범죄자들만 모아 놓는다는 악명 높은 교도소, 청송.

병아리처럼 샛노란 높은 벽임에도 잿빛 하늘같이 느껴

진다.

이런 느낌은 범죄자가 더 크게 받을 것이기에 기분이 좋아진 종혁은 경쾌하게 걸음을 옮겼다.

"뭐야. 왜 또 왔어?"

저번과 달리 투명한 강화유리가 있는 면회실.

시멘트 벽이 변색되고, 쿰쿰한 냄새가 가득하다.

한상원의 뒤로 대화를 기록하기 위한 교도관이 앉아 있다가 종혁이 고개를 숙여 인사하자 슬그머니 주머니에서 CD플레이어를 꺼내 이어폰을 귀에 꽂았다.

전에 찔러 넣은 흰 봉투가 아직까지도 효력을 발휘하는 것 같다.

종혁은 하늘색 교도복을 입은 한상원을 보며 피식 웃었다.

하늘색은 기결수가 여름철 영치금으로 사서 입을 수 있는 얇은 교도복이다.

"예쁘네. 얼굴도 볼만하고."

기아 난민처럼 전보다 깡마른 얼굴과 퀭한 눈.

교도관에게 맞은 건지 입술과 광대에 피딱지가 있다.

인식하지 못하는 것 같지만, 교도관의 눈치를 본다.

"뭐 누구 덕분이지."

여름날 두꺼운 교도복을 입고 있노라면 가만히 누워 있어도 숨이 막힐 듯 덥다. 더욱이 한상원이 지내는 곳은 강력범만 모아 놓은 청송 2교도소의 좁은 독방.

사람이 제대로 누울 수조차 없는 독방, 여름과 겨울의 독방은 지옥 그 자체다. 치밀한 감시와 규율로 눕지도,

교도복을 함부로 벗지도 못하기에 더욱더.

그래서 이 부분이 무척 고마운 한상원이었다.

목이 타 버릴 것 같은 갈증에 괴로워할 때 혀끝에 닿는 물 한 방울. 하늘색 교도복은 그 정도의 의미다.

"요새 뭐 하면서 지내?"

"그런 것까지 말해야 되나?"

"공부라도 해. 배워서 남 주냐?"

"어이."

교도관을 힐끔 본 종혁은 싱긋 웃었다.

어깨를 들썩이는 걸 보니 음악에 완전히 빠진 것 같다.

종혁은 목소리를 낮췄다.

"오늘 백종명이란 놈이 여기 올 거야."

백종명에 대한 형이 확정됐다.

9년 8개월 형.

민사 소송도 들어갔고, 항소는 당연히 커트됐다.

"백종명?"

"사기꾼."

"사기꾼이 여길 온다고? 몇 백억쯤 해 먹은 놈인가?"

법원에서 이 사람은 사회에 나가서도 안 되겠구나 하는 판단이 될 때 보내는 곳이 청송 교도소다.

동일 전과가 누적될 때나 가는 교도소.

하지만 백종명은 초범인데도 청송행이다.

종혁은 사정을 설명했다.

한상원의 눈동자에 불똥이 튀었다.

"개새끼군."

"풋!"

종혁은 비웃었다.

"똥 묻은 개가 겨 묻은 개 나무라는 것도 아니고. 상원아, 내 앞에서 내숭 떠니?"

"……개새끼!"

한상원은 부르르 떨었지만, 자리를 박차고 일어나진 않았다.

종혁의 도움이 없다면 독방에서 버틸 자신이 없기 때문이다.

"아무튼 이 새끼 잘 감시해."

"……왜지?"

"회사에 입사한다고 하더라고."

백종명의 녹음 파일 속에 들어 있던 회사와 김 대리라는 단어.

"회사?"

의아해하던 한상원은 곧 그 말을 알아들었다.

사기꾼의 은어 중 하나가 회사기 때문이다.

뜻이 맞는 사기꾼들이 어떤 사기를 치려고 모일 때 회사에 입사한다고 하는데, 이때 본명보다 대리니 부장이니 선생이니 하는 호칭을 쓴다.

주위에 의심을 사지 않기 위해서다.

아마 김종두 과장도 법무부에 이에 대한 조치를 취했을 거다.

종혁은 보다 더 자세히 알기 위해 한상원을 찾은 거였다.

"초범이라며? 혼자 했다며?"

"설계도가 있는 사기야."

"……설계자와 연락을 할 수 있다?"

정답이다.

"다른 사기꾼들과 커넥션이 있을 수도 있고."

일본에서 사기를 배운 놈이 한둘이 아니다.

비슷한 시기에 일본에 있던 사기꾼들과 연락을 하고 지낼 수 있었다.

"그러니까 그 말인즉 내가 정보를 건네면 그때 사기꾼들을 검거하시겠다? 정식으로 경찰이 됐을 때 실적을 쌓겠다?"

종혁은 어깨를 으쓱였다.

이것도 정답이었다.

"접촉을 하거나 편지 같은 걸 보내면 연락해."

"풋. 어떻게? 독방에 갇혀 있는 내가 어떻게?"

할 말을 다 했기에 일어서던 종혁의 눈이 차갑게 가라앉는다.

"상원아. 구제 불능 씹새끼 한상원아. 마지막으로 경고한다. 내 앞에서 수 쓰지 마라."

"……."

"너란 놈이 그 유치금 가지고 소지조차 안 꼬드겼다고?"

소지.

똑같은 죄수이지만, 죄수들에게 배식을 하거나 뜨거운

물, 책이나 잡지 등을 전달해 주는 존재다.

일종의 봉사 활동인데, 편지도 소지들이 담당 교도관에게 전달한다. 그리고 이 소지들은 매일 식당에 모여 어제오늘 일하는 곳에서 무슨 일이 있었는지 서로 이야기를 나누고, 그 정보를 일하는 곳으로 나른다.

즉, 교도소 내 모든 소문은 소지를 통하고, 소지에게서 시작된다는 말이다.

"이것조차 안 했다면 글쎄⋯⋯."

돈값을 못하면 돈을 줄 이유가 없었다.

종혁은 그렇게 협박을 했다.

철렁!

'아, 안 돼!'

하늘색 교도복이 혀끝에 닿는 물 한 방울이라면, 사식은 어둠만 가득한 동굴을 꿰뚫는 한 줄기 빛이다.

보고만 있어도 즐겁고, 희망을 놓지 않을 수 있는.

얼마 전 한 영화감독이 광복절 특사에 관한 영화를 찍겠다며 인터뷰를 하러 온 이후 왜인지 규율이 더 강화되었고, 사식을 구입하기 힘들어진 지금은 더욱 간절하게 됐다.

"⋯⋯너 진짜 정체가 뭐냐?"

종혁이 한상원 본인을 목격한 거야 우연히 그럴 수 있다 친다.

그러나 종혁의 입에서 나오는 단어들이나 자비를 두지 않은 손속, 눈치는 마치 베테랑 형사 같다.

이제 고작 스물한 살짜리가 말이다.

"알면 다쳐."

"……어, 그래. 그거 요새 개그야?"

얼굴을 구긴 종혁은 강화유리 벽을 쿵쿵 때렸다.

"야, 잠깐! 조금만 더! ……개자식!"

교도관이 쳐다보자 다시 고개를 숙이는 걸로 면회가 끝났다는 걸 알린 종혁은 면회실을 나섰다.

우중충한 교도소를 나선 종혁은 맑은 하늘을 보며 담배를 물었다.

"회사……."

그 단어에서 저번 일이 떠오른다.

몽타주만 남긴 채 사라져 버린 대전의 그곳.

40년 전통 욕쟁이 할머니 곱창집이 주소였던 그곳의 명함엔 '무역'이란 단어가 새겨져 있었다.

"쯧. 무슨 생각이야. 그 조직이 백종명 같은 초짜를 쓸리가 없잖아."

너무 그 조직만 생각하다 보니 예민해진 것 같다.

고개를 저은 종혁은 자동차에 올랐다.

그런 그의 옆으로 백종명을 태운 호송 버스가 스쳐 지나갔다.

* * *

부르릉!

달리는 호송 버스 안, 우중충한 노란 벽이 점점 다가온다.

말로만 듣던 청송.

공포가 심장을 덜컥 옥쥔다.

'나, 난…….'

그저 눈먼 돈을 쓰려고 했을 뿐이다.

사람을 죽인 것도 아니고 그저 값싼 동정만 좀 나눠 쓰려고 했을 뿐이다.

그런데 인생이 끝났다.

'이게 모두 다!'

백종명은 자신에게 접근해서 이 사기의 설계자와 연결해 준 그 조직을 떠올리며 이를 갈았다.

'그 조직, 아니, 김 대리 그 새끼 꼬임에만 안 넘어갔어도!'

너무 억울하고 화가 나서 눈물이 날 지경이었다.

"크악! 내보내 줘!"

뒷자리 누군가의 외침에 흠칫 놀란 백종명이 몸을 움츠렸다.

"내가 청송에 올 만큼 심한 짓을 한 게 아니잖아! 내보내 달라고!"

"……맞아! 내가 왜 청송이야!"

"문 열어! 씨발, 문 열라고!"

순식간에 버스가 시끄러워진다.

청송의 악명에 공포에 질린 범죄자들이 난리를 피운다.

'흐읍! 흑!'

버스가 광기와 공포에 물들자 백종명은 몸을 좀 더 움츠리며 벌벌 떨었다.

그러나 호송 교도관은 신경을 쓰지 않았다.

그러는 사이 버스는 청송 교도소 안으로 진입했고, 교도소의 거대한 철문이 등 뒤로 닫혔다.

그리고 버스가 멈췄다.

치이익! 우르르!

버스 문이 열리며 검은색 옷을 입은 교도관들이 올라탔다.

살기가 가득한 눈으로 검은색 방망이를 꺼내 든 교도관들.

"씨벌!"

옆자리에 앉은 죄수가 다급히 의자 아래로 고개를 숙이자 백종명은 얼떨결에 그걸 따라 했다.

그게 그를 살렸다.

"열어."

저승사자의 그것처럼 음산한 목소리.

땅!

철창문이 열리며 난입한 교도관들은 일어서 있던 범죄자들을 향해 검은색 방망이를 휘두르기 시작했다.

빠아악! 빡!

"으악!"

"사, 살려!"

"나, 난 아냐! 으아악!"

버스 안이 삽시간에 피로 물들었다.

"끄으으."

피투성이가 된 범죄자들이 바닥을 구른다.

'힉!'

한 범죄자와 눈이 마주친 백종명은 파랗게 질렸고, 그런 그의 머리 위에서 스산한 목소리가 울려 퍼졌다.

"뒈지기 싫으면 일어나."

백종명은 다급히 일어났다.

바닥을 구르던 죄수들도 마찬가지였다.

반항하면 죽는다는 걸 몸소 체험한 그들은 최대한 빨리 움직이려 했다.

그렇게 그들이 버스를 내리자.

"……."

섬뜩!

볼과 눈이 홀쭉한 굶주린 짐승들이 펜스 너머에서 가만히 노려본다.

몽둥이로 어깨를 두드리며 그들 주변을 돌아다니는 교도관들만 아니라면 당장이라도 덮치려는 듯하다.

하루 24시간 중 2시간만 하늘을 보는 게 허락된 악질들.

죄수복을 입은 사람들만 있자 백종명은 그제야 정말로 교도소에 왔음을 깨닫게 되었다.

순간 그의 무릎이 풀렸다.

"안 걸어?"

"예, 예!"

끝내 눈물을 흘린 백종명은 어기적 발을 옮겼고, 그 모습에 죄수들은 미약한 웃음을 흘렸다.

그 사이엔 한상원도 끼어 있었다.

'흠. 저놈이란 말이지?'

한상원은 눈을 가늘게 뜨며 멀어지는 백종명을 응시하다, 옆에 서서 주위 눈치를 보며 몰래 사탕을 빨아먹는 소지를 툭 쳤다.

"앞으로 저 뚱땡이 사기꾼 소식도 가져와."

"네, 형님!"

"오늘은 몇 동 애들 몽타주, 아니, 얼굴 그려 줄 차례지?"

한상원은 현재 사식으로 미술을 전공한 죄수들을 포섭해 다른 죄수들의 얼굴을 그려 주는 일을 하고 있다.

처음엔 무기수나 사형수들이 본인들의 늙어 가는 얼굴을 알게 해 주자고 건의했는데, 좋은 취지의 일이면서 한상원 본인도 별다른 말썽도 안 부리기에 교도소장은 허락했다.

처음 건의를 했을 땐 죄수 따위가 그런 걸 건의했다고 검열을 핑계로 맞다가 갈비뼈 두 대가 부러졌지만, 지금은 청송 죄수 전체를 차례대로 그리는 중이다.

그렇게 한상원은 합법적으로 청송 내 모든 죄수들의 얼굴을 그리며 종혁이 외우게 한 몽타주와 비교하고 있었다.

"1교도소 3동이에요, 형님!"

"그래, 가자."

4장. 낙원에 가다

낙원에 가다

어느덧 여름은 물러가고, 긴 옷을 꺼내야 하는 가을이
됐다.

"그러니까 이 부분은……."

"어디까지나 제3자의 입장이 되어야……."

임성원 교수의 교수실.

종혁과 임성원 교수가 치열하게 의견을 대립하며 하나
의 수사 기법 이론을 완성시켜 간다.

일본에서 진가가 드러난 종혁의 수사 기법이다.

뼈는 이미 세웠고, 지금은 살을 붙여 성형하는 단계.

근육을 채우고 혈관과 신경을 이으려면 아직 한참 멀었
지만, 차근히 그리고 빨리 나아가고 있다.

"후. 오늘은 이 정도만 하자."

"수고하셨습니다."

"어우. 나도 나이가 드나. 목이 뻐근하네."

종혁은 슬그머니 무시했고, 피식 웃은 임성원 교수가 몸을 일으켜 커피를 타 왔다.

"잘 마시겠습니다."

후룩!

원두커피의 구수한 향이 뜨겁게 달아오른 머리를 식혔다.

해가 저문 저녁.

기분 좋은 침묵이 여운을 달랬다.

"종혁아, 그거 아냐?"

"……?"

"요즘처럼 경찰에 복직하고 싶은 적도 없던 거?"

"그래요?"

"그럼. 이 나라 수사 기법의 새 지평을 열 이론을 만들고 있지, 일본에서 넘어온 과학수사 기술 덕분에 놓쳤던 놈들도 잡고 있지."

일본과 과학수사 기술을 교류한 지 몇 달 되지 않았는데도 벌써 300여 건의 미제 사건이 해결됐다.

형사라면 죽을 때까지 가슴에 품는 미제 사건.

"일본이 크게 도움이 됐나요, 뭐. 그저 방아쇠 정도만 되어 준 거죠."

놀랍다고 해야 할지, 아니면 실망스럽다고 해야 할지.

일본의 과학수사 기술과 한국의 과학수사 기술은 그리 큰 차이를 보이지 않았다.

디지털 포렌식은 오히려 한국이 몇 단계 위.

일본은 그저 백업된 파일을 복구하는 수준이었다.

이런 일본이 미세하게 앞선 건 DNA 수사 기술이다.

"알지. 나도 놀랐지. 그래도 나이 든 양반들 일제라면 껌뻑 죽잖아."

그래서 DNA 수사에 대한 예산도 증대됐다.

일본과의 수사 기술 교류로 인한 이득이라면 바로 이 점이다.

DNA 수사 기술이 보다 활성화되는 것.

덕분에 미제가 될 뻔한 사건도 해결 중이었다.

즉, 범인 잡을 맛이 나는 거다.

"모두 네 덕분이다."

"하하. 뭘요."

시선이 뜨겁다.

멋쩍어진 종혁은 화제를 돌리고자 임성원 교수의 책상을 봤다.

"저건 진짜 언제 치우실 겁니까?"

돼지우리가 책상 위에 펼쳐져 있다.

"놔둬. 뭐가 어디 있는지 다 아니까. 참고로 내 마누라도 고치지 못한 거다."

"자랑스럽게 말할 일은 아닌데."

"뭐 인마?"

장난기를 머금은 상쾌한 바람이 진지해졌던 교수실의 공기를 흐트러트린다.

"그럼 가 보겠습니다."

"그래. 잘 자라. 아, 맞아. 종혁아."

"예?"

"너 미국 한번 안 가 볼래?"

종혁은 눈을 껌뻑였다.

"선배님!"

"안녕하십니까, 선배님!"

학부 건물을 나와 커피 자판기 앞에 서자니, 오와 열을 맞춰 정자세로 절도 있게 걷던 1학년들이 빠르게 다가온다.

자세를 흐트리지 않으려는 모습이 귀엽다.

"오늘도 임 교수님 만나러 오신 겁니까?"

"와아!"

1학년들의 눈에 존경심이 차오른다.

그들로서는 말도 붙이기 힘든 교수와 함께 어떤 수사 기법을 만들어 간다고 했다.

고작 한 학년 차이가.

교내에서 입어야 하는 정복에 주름조차 지지 않은 그들로서는 종혁이 신계에 사는 사람처럼 느껴졌다.

아니, 신계에 사는 사람이다.

종혁의 일화는 너무 많았다.

많은 범인 검거와 제3기숙사 건설 등.

일일이 열거하기 힘들 정도이면서도 성적은 언제나 수석.

마치 소설 속 주인공 같은 존재다.

"강의는 다 끝났어?"

"옙! 오늘 강의는 다 끝났습니다!"

"들어가서 또 레포트 써야 하지만요……."

"하, 교수님들은 우리가 자기 강의만 듣는다고 생각하는 걸까요?"

종혁은 피식 웃었다.

초등학교부터 고등학교까지 12년 동안 죽어라 공부해서 온 경찰대학교.

처음엔 대학에 대한 환상에 젖었을 거다.

교정 잔디밭에서 기타 치고 노래하며 술 마시고.

선후배가 하하호호 어울리며 서로 이끌어 주고.

하지만 경찰대학교는 그런 낙원이 아니다.

하루에 습득해야 되는 지식의 양은 고3 수험생 때보다 더 지독하고, 체력과 제압술까지 신경 써야 한다.

문무를 겸비한 장수, 아니 간부를 육성하는 곳.

구타와 욕설이 없을 뿐, 군대와 똑같은 곳이다.

경찰대학교는 그런 곳이었다.

"너희가 이번 학기부터 주말 휴가를 갈 수 있던가?"

순간 1학년들의 눈이 번뜩인다.

"네!"

전원 기숙사제인 경찰대학에서 1학년은 2학기부터 한 달에 한 번 1박 2일 주말 휴가를 신청할 수 있다.

1학기는 한 달에 한 번의 외출만 허락된다.

규율과 규범만 있는 경찰대 교정을 벗어날 수 있는 기회.

'좋을 때다.'

얼마 뒤의 주말 휴가를 잔뜩 기대하는 햇병아리들을 보자니 지갑을 열지 않을 수가 없다.

"자. 나가서 맛있는 거라도 사 먹어."

"아, 아니, 괜찮습니다!"

"저희도 돈 있습니다!"

"괜찮아. 어른이 주는 건 감사합니다 하고 받으면 되는 거야."

"가, 감사합니다. 힉!"

얼떨떨 수표를 받아 들었던 그들은 액수를 확인하곤 기겁했다.

무려 오십만 원이었다.

"형 돈 많다. 힘든 일 있으면 언제든 연락해."

햇병아리들이 귀엽기도 하지만, 이들은 후에 도움이 될 후배 기수다. 고작 오십만 원으로 최종혁이란 존재를 인식시킬 수 있다면 싼 값이었다.

'아, 그 선배?'와 '좋은 선배'는 천지 차이니 말이다.

"가, 감사합니다."

"아, 선배님!"

"음?"

"이번에 견학 가신다면서요?!"

듣기로 6박 7일 일정이라고 했다.

대구 햇빛복지원, 주식회사 신대륙 등 경찰에 안 좋은 의미인 장소를 찾아가 경찰의 역사를 되짚고 경찰로서의 뜻을 세우는 행사다.

그러나 어찌 보면 여행이었다.

부러움이 그들의 눈에 차올랐다.

"어쭈? 시간이 남아도나 봐? 선배들 스케줄에도 관심을 가지고?"

"아하하."

그럴 리가.

그래도 호기심을 이길 수가 없다.

"그런데 난 안 가."

"예?"

"다른 곳에 가거든."

'최첨단 범죄수사기법에 관한 포럼이라.'

관심이 가지 않는다면 형사라 할 수 없었다.

* * *

기이잉!

비행기가 뜨고 내리는 공항.

경찰 정복을 입은 종혁이 나탈리아와 통화한다.

−섭섭해요.

러시아가 먼저 종혁과 인연을 맺었다.

그런데 러시아보다 미국을 먼저 간다.

일본이야 그럴 수 있다.

수작을 부린 점도 있지만, 한국과 가까우면서도 밀접한

관계를 맺은 나라니 말이다.

부담 없이 갈 수 있는 나라.

"아하하."

―우리도 SVR 포럼을 열어야 할까요?

구 소련 정보국 KGB의 후신 SVR.

러시아 대외정보국.

"워워. 참아요."

SVR이 포럼을 연다?

전 세계 정보국이 달려들 것이다.

―미국이 유혹할까 봐 이러죠.

"미국이요? 저를?"

'왜? 어떻게?'

1998년 방콕 아시안게임 당시, 나탈리아조차도 종혁이 러시아 최고위층과 연결이 되었다 판단하여 찾아왔었다.

그러다 권&박 홀딩스의 진짜 주인이 종혁임을 알게 됐다.

그런데 아무 관계도 없는 미국이 그걸 안다?

이건 권아영이나 박태규, 권회수 셋 중 한 명이 배신한 거다.

―그 예지에 가까운 통찰력이 아닌 다른 통찰력도 있고…….

종혁의 손을 거치면 기량이 20퍼센트 발전하는 점도 있다.

스포츠 과학을 10년 이상 발전시킨 인물.

―이런 존재를 그 어느 국가가 원하지 않을까요?

'투정인가?'

왠지 귀여웠다.

"음. 저를 어떻게 유혹할 수 있는데요? 돈?"

–저도 그게 가장 큰 문제랍니다.

닷컴 붕괴로 인해 세계 부자 반열에 든 종혁이다.

돈은 의미 없다.

명예는 알아서 찾아가고 있다.

그렇다면 남은 건 하나다.

그런데 이것도 좀 꺼림칙하다.

–최. 성 기능에 이상 없죠?

혈기 왕성한 스물한 살임에도 연애는커녕 욕구 해소조차 안 한다.

–혹시 특이한 취향이라거나…….

종혁은 싱긋 웃었다.

"끊습니다."

–자, 장난!

탁!

거칠게 폴더를 닫은 종혁은 혀를 찼다.

"남자한테 할 말이 있고, 하지 말아야 할 말이 있지."

이건 아무리 예뻐도 용서할 수 없다.

콧방귀를 뀐 종혁은 임성원 교수에게 다가갔다.

그는 아직까지도 주위를 둘러보며 혀를 내두르고 있다.

"그렇게 신기하세요?"

"그럼 넌 안 신기하냐? 인천에서 배가 아니라 비행기를 타는데?"

그랬다.

여긴 김포국제공항이 아니라 인천국제공항이었다.

2001년 올해 3월에 개장하면서 국제노선 중 일부를 가져온 인천국제공항.

'딱히?'

종혁이 해외여행을 가게 됐을 땐 이미 인천국제공항이 활성화된 이후였다.

"허어. 내 살다 살다 인천에서 비행기를 타는 날이 오다니."

"가시죠. 비행기 놓치겠어요."

"어? 어…….'

임성원 교수를 잡아끌며 게이트로 향하던 종혁은 누군가를 발견하곤 깜짝 놀랐다.

눈이 마주친 금발의 여성도 놀랐다.

"애나?"

"혁?"

친구인 이리나 샤크.

그녀뿐만 아니라 그녀의 부모도 있다.

"오우, 혁! 오랜만이야!"

"잘 지냈니?"

이리나의 모친이 종혁의 볼에 입을 맞춘다.

이리나와 친구가 된 이후 마치 친어머니처럼 따뜻하게 대해 주는 그녀.

"여긴 왜 계세요?"

방학이나 주말도 아니고 평일이다.

이들이 국제공항에 올 이유가 없다.

이리나가 입을 열었다.

"먼 친척이 돌아가셨거든. 거기에 참석하러 가."

"아…… 미안. 삼가 고인의 명복을 빕니다."

"괜찮아. 왕래가 거의 없던 친척이거든. 누구 때문에 여름에 고향에도 못 갔으니 이번 기회에 미국 친구들도 만나고 기분 전환도 하려는 거야."

우연도 이런 우연이 있나 싶었다.

그녀의 고향은 뉴욕이고, 포럼이 열리는 곳도 뉴욕이다.

"그런데 넌?"

종혁은 사정을 설명했다.

"정말? 와."

그녀의 부모도 감탄한다.

"아, 이쪽은 함께 가는 임성원 교수님."

"임성원입니다."

인사를 나눈 그들은 안쪽 게이트로 향했다.

같은 곳으로 향하는 비행기라 의자에 앉아 이야기를 나누던 종혁은 탑승 안내 방송이 나오자 몸을 일으켰다.

"응? 화장실 가게?"

"아니, 우린 탑승해야 되거든."

"무슨 소리야. 이코노미는 아직…… 헉!"

퍼스트 클래스 티켓을 본 이리나의 눈이 흔들린다.

곧 정신을 차린 그녀는 종혁을 간절하게 봤다.

종혁은 샤크 부부에게 고개를 숙였다.

"그럼 뉴욕에서 뵐게요."

"이씨! 나도! 나도 퍼스트-!"

"뉴욕에서 봐. 사랑한다, 친구야."

"최종혁 이 나쁜 놈아!"

* * *

씩씩거리며 비행기에서 내린 이리나의 숨소리가 예사롭지 않다.

입국 게이트를 넘자마자, 기다리고 있던 종혁에게 달려들었다가 제압당했기 때문이다.

"그럼 우린 먼저 갈게. 한국에서 봐."

"예. 조심히 가세요, 아버님."

"가자. 내 멍청하지만 예쁜 공주님."

"아앗! 안 돼, 아직 한 대도! ……혁! 너 진짜 죽일 거야-!"

이리나의 가족들이 멀어지자 임성원 교수는 허헛 웃었다.

"재밌는 아가씨네. 여자 친구야?"

"여자 사람 친구요."

"여자 사람 친…… 풋! 큭큭큭큭큭!"

배를 잡고 떠는 그를 보니 종혁은 슬쩍 뿌듯해졌다.

"어후. 배 아파서 혼났네. 종혁이 아주 재치 있어, 어?"

"흐흐. 가시죠. 숙소에 짐부터 풀어야죠."

"그래, 그래."

"포럼은 내일부터 열린다고 했던가요?"

"그렇긴 한데 우리가 참관할 건 2일 차 프로파일링과 4일 차 행동심리학이야."

3일 차 네고시에이션 포럼도 여유가 되면 참관할 계획이었다.

나머진 과학수사기술 포럼인데, 5일 차와 6일 차 포럼도 관심이 있었다.

"아, 그래요? 잘됐네요."

"왜?"

"만나야 할 오랜 친구가 있거든요."

"뉴욕에? 방금 그 아가씨 말고?"

"네. 그동안은 전화와 팩스, 이메일로만 이야기를 나눈 친구예요. 굉장한 연상이죠."

임성원 교수는 의아해했고, 종혁은 웃으며 발을 뗐다.

그렇게 공항을 빠져나온 둘은 멈춰 섰다.

검은색 정장을 입은 금발의 남성이 앞을 가로막았기 때문이다.

호리호리한 몸매에 안경을 낀 서글서글한 인상.

그러나.

'이 새끼?'

뒷목의 솜털이 쭈뼛 선다.

실력자였다.

수상한 낌새를 눈치챈 임성원이 종혁의 앞을 가로막았다.

하지만 그럴 필요가 없었다.

"종혁 최?"

"……그렇습니다만?"

"CIA에서 나왔습니다. 미국에 오신 걸…….."

"CIA에서 우리 러시아의 친구를 왜 만나려는지 모르겠군."

흑발의 러시아인이 등장한다.

CIA라 소개한 남성이 이를 간다.

"세르게이."

종혁은 눈싸움을 벌이는 둘을 보며 눈을 껌뻑였다.

'뭐야, 왜 CIA가 널 마중 나와? 러시아는 또 뭐고?'

그리고 둘은 왜 갑자기 싸우는지.

'글쎄요?'

종혁도 그게 궁금했다.

*　　*　　*

눈싸움의 승자는 세르게이였다.

"쯧. 다음에 뵙겠습니다."

"그럴 이유는 없어, 램지."

가운데 손가락을 치켜세운 CIA 요원이 멀어지자 종혁
은 세르게이를 봤다.

"안젤리나 님께서 보내셨습니다."

"……안젤리나 씨요?"

"못된 악마의 손길에서 당신을 지키기 위해서."

"못된 악마?"

"국가에 도움이 될 인재를 포섭하기 위해서라면 무슨 짓이든 하는 CIA라는 악마입니다."

"저를요?"

"저도 당신의 트레이닝을 바라는 사람 중 한 명입니다."

"아."

'그런 거였구나.'

그제야 상황을 파악한 종혁은 안심을 했다.

권&박 홀딩스의 진짜 주인임이 들통난 게 아니라 유도 국가대표 수석 코치이자 스포츠 과학을 발전시킨 인물 최종혁을 욕심낸 거다.

종혁은 의아해하는 임성원에게 설명을 했다.

"뭐?! 그래? 그런 일이 있었어?"

정말이냐며 경악과 감탄을 하는 한편, 왜 말을 안 했냐는 배신감 어린 시선도 보낸다.

"동기들과 선배님들은 다 코칭하고 있는데……."

선배들은 일본에 다녀온 이후 코칭을 받고 있다.

"허흠."

멋쩍어진 임성원은 눈을 빛냈다.

러시아와 미국이 욕심내는 트레이닝이다.

'경찰의 하드웨어가 좋아진다면?'

현장에서 다칠 확률이 적어진다.

많은 이유로 현장에서 다치는 경찰들.

임성원 교수는 다급해졌다.

"종혁아. 그거 한국 경찰한테도 가르칠 수 있겠냐?"

당연하다.

종혁도 정말 간절히 그러고 싶었다.

이유는 임성원과 같았다.

"저도 그러고 싶은데……."

종혁이 줄인 말을 알아들은 임성원은 고개를 끄덕였다.

"암튼 넌 그러고 싶다는 거지?"

"네, 당연하죠."

"알았어. 나머지는 내가 알아서 하지."

"교수님이요?"

'어떻게?'

임성원은 믿으라며 웃었고, 세르게이는 그걸 부럽다는 듯 쳐다봤다.

세르게이는 러시아 대사관 차량을 이용해 숙소까지 안내했다.

"여기 거기 아냐? 나 혼자 집에 투! 뉴욕 편!"

플라자 합의가 이뤄진 그 호텔이다.

종혁은 이곳의 펜트하우스를 예약했다.

"크으! 진짜 내가 네 덕분에 호강을 한다."

"제가 예약했나요. 후원해 주시는 곳에서 다 해 준 거죠."

퍼스트 클래스와 호텔 예약.

모두 권&박 홀딩스 이름으로 했다.

"그거나 이거나. 이야, 내가 이런 곳에서 다 자 보다니!"

언제나 쪼들리는 연구 예산.

이런 호텔은 언감생심 꿈도 못 꾼다.

임성원 교수는 신이 나 안으로 들어갔고, 종혁은 세르게이를 봤다.

"미국에서 쓰실 핸드폰입니다, 최."

"안 그래도 유심을 새로 사려고 했는데……."

자동 로밍은커녕 일반 로밍 신청조차 힘든 시기.

세르게이는 센스 있게 핸드폰을 두 대 준비했다.

"안젤리나 씨에게 고맙다 인사해야겠네요."

CIA가 마중 나왔고, 세르게이와 마찰을 빚었다.

이제부턴 말조심을 해야 됐다.

세르게이가 푸근히 웃었다.

"혹시라도 나가실 일이 있으면 가로등 없는 골목엔 들어가지 마시고, 지갑과 귀중품은 안 보이는 곳에 숨기십시오. 혹여 강도가 총을 겨눈다면 저항하지 마십시오. 한국과 달리 진짜 쏩니다."

911테러로 인해 민심이 흉흉해져 강도 사건이 급증했다는 게 세르게이의 부연 설명이다.

"총기 소유가 자유로운 나라라서 허투루 들리지 않네요."

긴장의 끈이 절로 당겨졌다.

고개를 끄덕인 세르게이는 그 외에도 주의해야 할 점들을 세심하게 설명했다.

"필요하신 게 있다면 새벽이라도 이 번호로 연락 주십시오. 그럼 내일 뵙겠습니다."

종혁은 멀어지는 세르게이를 바라보다 문을 닫았다.

끼이익! 쿵!

쿵쿵쿵! 쿵쿵쿵!

멀리서 희미하게 문을 두드리는 소리가 들리자 종혁은 재빨리 몸을 일으켰다.

"뭐야. 몇 시야? 엑?"

오전 7시 30분이다.

어제 임성원 교수와 저녁을 먹은 후 돌아와 피곤해서 깜빡 잠들었는데, 지금까지 잔 것이다.

여기가 한국이라고 해도 믿지 못할 기상 시각이었다.

'퍼스트로 편히 왔는데도 피곤했나.'

"근데 이 새벽부터 누가 문을 두드리는 거야? 거 얼른 문 좀 열어 주지."

그게 자신의 룸이라 생각지 못한 종혁은 방문을 열고 나갔다.

쿵쿵쿵! 쿵쿵쿵!

"어? 우리 방이⋯⋯."

"FBI! OPEN UP!"

"네?"

우리 방, 펜트하우스였다.

'FBI?! 가, 갑자기 왜?!'

FBI. 미국 내 최상위 수사기관 중 하나.

'혹시라도 정말 혹시라도 FBI가 문을 두드린다면 순순

히 열어 주십시오. 절대, 절대 반항하면 안 됩니다.'

어젯밤 세르게이가 남긴 말.

"뭐, 뭐야. 무슨 일이야?!"

임성원 교수도 헐레벌떡 뛰어나왔다.

마음이 다급해진 종혁은 재빨리 외쳤다.

"갑니다! 열어요! 쏘지 마세요!"

후다닥 달려간 종혁은 다시 한번 외치고는 문을 열었다.

그리고 재빨리 양손을 뒤로 하며 엎드렸다.

그런데.

"Good morning!"

고개를 드니 FBI 대신 이리나가 환하게 웃고 있다.

"내 모닝콜 재밌었어?"

"……오냐. 오늘 날 잡자."

종혁은 이리나에게 달려들었다.

* * *

"아니, 허어."

벌써 30분째 벌을 받고 있는 이리나를 보던 임성원 교수는 결국 피식 웃었다.

"죄송합니다, 교수님."

"아냐. ……허허. 아가씨가 정말 재밌네. 오늘 데이트 잘하고, 내일 8시까지 숙소로만 와."

"네?"

"나 꽉 막힌 꼰대 아니다."

"아니, 저랑 애는 그런 관계가…….."

"그래도 혹시 모르니 정복 말고 사복 입고. 하음, 난 좀 더 자야겠다."

방으로 들어가는 임성원 교수를 망연히 응시하던 종혁은 이리나를 죽일 듯 노려봤다.

"아오, 불 받아!"

빠악!

"……!"

입을 떡 벌린 이리나는 정수리를 잡은 채 바닥을 데굴데굴 굴렀다. 한 짓이 있어 비명을 지르진 않았다.

"미, 미안해. 그렇게 놀랄 줄 몰랐어."

"……됐다. 그보다 어쩐 일이야? 장례식 참석한다며?"

"어제 참석했어. 바린? 아, 어제가 발인이었거든. 다행히 늦지 않게 참석할 수 있었어."

"정말 다행이네. 그래서?"

아직 이유를 듣지 못했다.

이리나의 얼굴이 상기되었다.

잔뜩 기대하는 얼굴.

"서울 촌사람인 내 친구 혁에게 뉴욕을 알려 주려고! 브로드웨이! 소호! 센트럴파크! 자유의 여신상! 월 스트리트! 가 볼 곳이 얼마나 많은지 알아?!"

"아, 그래?"

왠지 그럴 것 같았다.

"그런데 어쩌지?"

"응? 왜?"

"약속이 있거든."

"……에?"

*　　*　　*

"말도 안 돼. 나 같은 미녀가 데이트 신청을 했는데……."

"말 돼. 아무리 미녀라도 그런 짓 하면 아웃이야."

아직도 심장이 떨린다.

'넌 진짜 친구니까 살았어, 이것아.'

"후후. 많이 친하신가 보군요."

운전석에 앉은 세르게이가 말하자 종혁은 어깨를 으쓱였다.

"친구니까요."

차 안에 훈풍이 불었다.

괜스레 미안해진 이리나는 다시 한번 사과했다.

"됐어. 앞으로 또 하지만 마."

일반인이었다면 웃어넘겼을 것이다.

하지만 종혁은 볼 꼴 못 볼 꼴 다 본 형사다.

FBI 특공대 같은 진압 부대의 위험을 잘 아는 베테랑 형사.

"응. 그런데 누굴 만나는 거야?"

"꽤 오랜 친구랄까?"

"친구? 네가? 뉴욕에?"

"응. 저기에 사는 친구지."

종혁이 가리킨 곳을 본 이리나는 눈을 껌뻑였다.

"NFL 사무국?"

NFL 사무국의 로비.

적갈색 눈동자가 인상적인 육십대의 백인 남성이 이리 저리 배회하다 자신 쪽으로 다가오는 인물을 보곤 설마 한다.

"최?"

종혁은 싱긋 웃었다.

"이렇게 직접 얼굴을 마주 보고 인사 나누는 건 처음이 죠, 잭?"

처음 종혁이 NFL 선수들의 훈련 자료를 요청했을 때 를 시작으로 지금까지도 인연을 맺어 오고 있는 NFL 사 무국 소속 스포츠 싸이언스 및 메디컬 치프 잭 와일러.

"오, 맙소사! 정말 어리잖아!"

"미국 나이로 이제 열아홉 살이니까요."

"정말 어려! 하지만 몸은 훌륭해!"

"내 경기 안 봤어요?"

"오! 내 어린 친구, 최. 난 NFL 말고는 관심이 없는 사 람이야. 그런데 이쪽의 레이디는?"

"섭섭하네요. 아, 미리 얘기했던 제 친구 이리나 샤크예 요. 굳이 따라오겠다고 해서 데려왔지만, 곧 갈 거예요."

세르게이는 이미 돌려보냈다.

"아냐, 아냐."

싫었다면 처음부터 거부했을 거다.

"우중충하게 남자 둘만 이야기 나눌 뻔했는데 이렇게 화사한 꽃 한 송이가 피었잖아?"

잭 와일러는 이리나의 손등에 입을 맞췄다.

"우리 두 남자를 구원해 주셔서 감사합니다, 세뇨리따. 잭 와일러입니다."

이리나는 꺄르르 웃었다.

"이리나 샤크예요, 세뇨르 와일러."

종혁은 초면부터 죽이 맞는 둘을 어이없다는 듯 봤다.

"그럼 가실까요, 레이디?"

"고마워요, 젠틀맨."

'어이, 잠깐?'

종혁은 고개를 저으며 둘의 뒤를 쫓았다.

잭 와일러는 NFL 사무국 이곳저곳을 안내했다.

그러다 종혁은 한 곳에서 눈을 빛냈다.

의료 기기처럼 생긴 기기들이 가득한 층.

의사 가운을 입은 사람들이 돌아다닌다.

"여긴?"

"역시 자네라면 흥미를 드러낼 줄 알았지."

도핑 테스트 및 피지컬, 메디컬 테스트를 위한 룸.

나날이 발전하는 선수의 피지컬과 메디컬을 기록으로 남기는 것도 사무국의 일이었다.

즉, 종혁이 받은 NFL 자료도 여기서 나왔다는 말이다.

"이야, 역시 미국이네요."

"왜? 이런 시스템이 부러워?"

종혁은 뿌듯해하는 이리나를 보며 고개를 모로 기울였다.

"전혁?"

"……?"

"……으하핫! 동양에서 이 기기들을 첫 번째로 구입한 게 저 친구입니다, 아가씨!"

"에?"

"이 최첨단 기기들을 발명할 수 있었던 것도 저 친구 덕분이죠!"

그동안 계속 의견을 나눴던 종혁과 잭 와일러다.

이 기기들 개발에 종혁의 의견이 들어갈 수밖에 없었는데, 이 내막을 모르는 이리나는 더욱 이해할 수 없는 표정을 지었다.

종혁은 한 기기를 보며 눈을 빛냈다.

"처음 보는 기기가 있네요?"

"아, 체내 산소 포화 농도를 신체 부위별로 보다 세밀하게 검사하게 된 버전인데…….."

잭 와일러는 종혁의 몸을 보며 눈을 빛냈다.

그동안 말로만 들었던 종혁의 피지컬.

"한번 써 보겠나?"

눈을 동그랗게 떴던 종혁은 이내 짓궂게 웃었다.

그렇지 않아도 저번 올림픽 참가 이후 신체 능력이 어

느 정도 발전했는지 검사를 하지 못해서 궁금하던 참이
었다.

"그래 볼까요?"

종혁은 상의를 벗으며 한 발 내디뎠다.

지이이잉!

타타타타탓!

"맙소사."

"말도 안 돼. 동양인이 어떻게!"

"그 기록들이 진짜였다고?"

이들도 모두 안다.

동양, 한국의 어린 천재에 대해 말이다.

그런 종혁을 보기 위해 모여들었던 이들은 종혁이 산소
마스크를 쓴 채 러닝머신을 달리며 써 가는 기록에 경악
할 수밖에 없었다.

그러나 종혁은 왠지 동물원 원숭이가 된 것 같아 테스
트를 종료했다.

"잠깐만! 조금만 더!"

"최!"

"자자. 이걸 줄 테니 내 친구는 그만 괴롭혀."

눈치 좋게 나선 잭 와일러가 종혁의 테스트 기록지를
넘겨주자 그들은 아쉬워하면서도 물러날 수밖에 없었다.

"미안하군. 원래 이쪽 부류 인종들이 한번 눈이 돌아가
면 뵈는 게 없거든."

"아뇨. 괜찮아요. 덕분에 운동도 했는걸요."

그사이 몸이 얼마나 발전했는지도 알게 돼서 유익한 시간이었다. 잭 와일러는 테스트를 극한까지 했음에도 고작 개운해하는 종혁을 보며 혀를 내둘렀다.

"최, 요즘은 하루 몇 시간 운동하지?"

"빡세게 3시간? 그 정도 하죠?"

"와우. FBI나 CIA 그 머저리들도 이걸 보고 반성하면 좋을 텐데! 퍽킹 FBI! 퍽킹 CIA!"

종혁은 의아했다.

"마치 그들과 아는 것처럼 말하네요, 잭? 지인이라도 있는 거예요?"

"……아, 내가 말 안 했나?"

종혁은 고개를 모로 기울였다.

하지만 곧 이어지는 말에 입을 떡 벌렸다.

"FBI 피지컬 트레이닝 고문을 맡고 있는 중이야. 벌써 10년 됐지. CIA도 중간에 했었고."

"말 안 했는데요!"

배신감이 든다.

NFL 자료와 미래 지식을 버무려 보다 발전된 훈련법을 개발하고 그 자료를 잭과 공유했다.

스포츠 과학 및 의학 발전을 위해서.

하지만 FBI와 CIA는 별개 문제였다.

한국에도 전하지 못한 훈련법이 이들에게 유출됐을 수 있었다.

"정말 미안하군. 이건 분명 내 실수야. 하지만 한 가지 말할 수 있는 건 결코 그 훈련법을 그들에게 알리지 않았다는 거야."

"……정말입니까?"

"내 아내와 하느님을 두고 맹세하지."

"……후. 놀랐잖아요."

"다시 한번 사과하지."

유출하지 않았어도 실수는 실수다.

끙끙 앓던 그는 손가락을 튕겼다.

"이러면 어떨까? 사과 선물과 별도로 FBI 구경을 시켜 주지. 자네도 경찰 간부가 되기 위해 공부를 하고 있다니 관심 있지 않아?"

"FBI를요?"

종혁은 눈을 크게 떴다.

단 한 번도 가 보지 못한 FBI.

최첨단의 수사 기법들이 탄생하고 모이며, 활용하는 곳.

형사로서 관심이 가지 않을 수 없었다.

특히나 그들이 가지고 있는 범죄 사건 기록들이.

"정말이죠?"

한시름 놓은 잭 와일러는 환하게 웃었다.

* * *

잭 와일러와 저녁 식사 약속을 잡은 종혁은 NFL 사무국을 나왔다. 그와 이야기를 나누고 싶지만, 눈에 불을 켠 닥터들 때문이다.

"시간이 애매해⋯⋯."

브로드웨이에서 연극을 보기도, 센트럴파크에서 피크닉을 즐기기에도 모두 애매한 시간이다.

잭 와일러와의 저녁 식사 약속 때문이다.

종혁은 툴툴거리는 이리나를 어이없다는 듯 봤다.

"너 친구 만나며 기분 전환한다고 하지 않았냐?"

"가장 가까운 곳이 세계무역센터인데, 갈래?"

"어이, 대답은? ⋯⋯에휴. 됐다."

'세계무역센터라.'

회귀 전의 참사를 비켜 간 곳.

"⋯⋯그럴까?"

"응!"

이리나가 팔짱을 훅 끼며 종혁을 이끌었다.

110층 세계무역센터(WTC)의 위용은 아쉽게도 로비만 구경할 수 있었다.

그래도 두 개의 빌딩이 모두 제 모습을 지키고 있는 것 자체가 종혁에겐 큰 감흥으로 다가왔다.

'지킨 건가.'

이 사람들, 이 풍경을 지킨 거다.

빵빵, 우글우글.

차와 사람들이 가득한 이 평온한 풍경을.

"자, 커피!"

"고마워. 흠."

입안에 닿은 커피 향이 제법이다.

"그거 알아? 바로 이 옆이 그 유명한 월……."

재잘거리는 이리나의 말을 음악 삼은 종혁은 좀 더 이 풍경을 즐기기로 했다.

"여기 기억나?"

"당연히 기억나죠. 여기서 데이트 중 갑자기 잠깐만 기다려 달라며 저기 보석 가게로 달려갔잖아요."

"그날 딸, 네가 생겼단다."

"엑. 알고 싶지 않은 말인데."

사십대 중년 부부가 십대의 딸과 스쳐 지나간다.

화기애애한 일가족의 모습.

'아버지가 살아 계셨다면 나랑 엄마도 저랬을까?'

왜인지 갑자기 감격하는 부인의 손목을 잡은 남편이 길 건너편 보석 가게로 데려가고, 딸이 손을 모아 환호한다.

'깜짝 이벤트인가 보네.'

남편이 로맨티스트인 것 같았다.

'그러고 보니 곧 부모님 결혼기념일이네.'

일 년에 어머니 고정숙이 약해지는 때가 두 번 있다.

아버지의 제사, 그리고 결혼기념일.

결혼기념일 때는 안방 문을 꼭 닫고 돌아가신 아버지께서 준 청혼 반지를 하염없이 바라본다.

'비록 지금은 돈이 없어 다이아몬드가 가짜지만, 나중에 꼭 진짜로 해 줄게. 결혼해 줘서 고맙다, 정숙아. 라고

하셨다지.'

가짜 다이아몬드라는 말이 갑자기 심장에 박힌다.

'맞아. 그걸 잊고 있었구나.'

IMF 금모으기 운동 때 어머니가 내놓았다가 종혁이 회수한 청혼 및 결혼반지.

종혁은 몸을 일으켰다.

"어? 어디 가?"

"엄마 선물 사러."

그 조직 소탕과 어머니를 위해 살겠다 다짐한 인생이다.

어머니를 기쁘게 만들 기회를 놓칠 수 없었다.

종혁은 빨간불로 바뀐 횡단보도 앞에 섰다.

마음이 앞서서 그런지 약간 초조해진다.

이리나는 그 모습을 보며 피식 웃었다.

"방금 빨간불로 바뀌었어. 진정해, 혁."

"아, 그런가."

종혁은 머리를 긁었다.

'그래. 뭐 도망가는 것도 아니고.'

답지 않았다 생각한 종혁은 그제야 커피를 마시며 마음을 가라앉혔다.

그러자 주위의 소리가 다시 들려왔다.

멀리서 과속하는 소리가 들려왔다.

이쪽으로 오는 듯 소리가 점점 커진다.

"쯧쯧. 5분 먼저 도착하려다 50년 먼저 가지."

"신호야, 혁."

다시 바뀐 파란불.

종혁은 발을 성큼 내디뎠다.

"혁. 어떤 선물을 살 거야?"

"아, 그게……."

대답하려는 순간이었다.

부아아아앙! 끼기기긱!

타이어 마찰 소리와 함께 종혁의 시간이 느려진다.

드리프트를 하며 나타난 회색 승용차.

앞 유리에 투영되는 남성 운전자가 무언가에 쫓기는 듯한 얼굴을 하고 있다.

그런데.

'멈출 생각이 없다?'

사람들을 발견했을 텐데도 이를 악문다.

동승자가 말리는데도 눈빛이 표독해진다.

종혁은 다급히 횡단보도 위를 봤다.

"우와아아……."

"끼아아……."

모두가 기겁하며 피하는데 할머니 한 명이 이제야 차를 인식한 듯 핸드폰을 내리며 고개를 느릿하게 돌린다.

느려진 시간 그 모습이 심장을 내려앉게 만든다.

'씨발!'

망설일 겨를도 없었다.

탓!

"혀어억……."

놀라는 이리나의 부름을 뒤로한 종혁은 그대로 몸을 날리며 할머니를 낚아챘다.

놀라 몸이 딱딱하게 굳는 게 품 안에서 느껴진다.

종혁은 그녀를 꼭 안으며 몸을 뒤집었다.

쿠당탕!

'큭!'

그리고.

부아아아앙!

빠르게 빌딩 숲 사이로 사라지는 회색 승용차.

"야, 이 개새끼들아!"

벌떡 일어난 종혁은 회색 승용차를 향해 주먹감자를 날렸다.

＊　＊　＊

종혁은 여성용 바지 정장을 입은 세련된 할머니를 보도로 옮겨 살폈다.

많이 놀란 듯 아직도 멍해 있다.

"괜찮으세요?"

겉으로 드러난 건 빨간색 구두에 난 흠집뿐이지만, 몸 안에 어떤 상처가 있을지 모른다.

더욱이 그녀는 나이가 육십대쯤으로 보였다.

작은 충격도 크게 다가오는 나이다.

"……아, 고마워요. 당신은 다친 곳 없나요?"

"저요?"

몸 이곳저곳을 둘러봤지만, 딱히 상처가 없다.

"괜찮은 것 같네요."

솔직히 이 정도로 다치면 그동안 한 낙법 훈련이 운다.

"휴우."

가슴을 쓸어내린 그녀는 짓궂게 웃었다.

"미안해요. 나이가 들어서 그런지 반응속도가 느리네요."

"하하."

"날 좀 일으켜 줄래요?"

"그럼요."

종혁은 그녀의 손을 잡아당겼다.

벌떡!

오뚝이처럼 일어서게 된 그녀는 혀를 내둘렀다.

"힘이 좋은데요?"

"제 자랑 중 하나죠."

"후훗."

그녀는 핸드백에서 명함 한 장을 내밀었다.

캘리 그레이스라는 이름과 전화번호만 적힌 심플한 명함.

"지금은 괜찮아도 시간이 지나면 달라질 수 있어요. 아프면 치료받고 꼭 연락해 줘요, 슈퍼맨."

"슈, 슈퍼맨?"

윙크를 한 그녀는 다시 파란불로 바뀐 횡단보도를 건너며 핸드폰을 들었다.

"응, 나야. 사건 하나만 접수해 줘."

'어?!'

종혁은 다급히 고개를 돌렸지만, 그녀는 이미 저 멀리 걸어가고 있었다.

"이쪽 관계자였나……."

그렇다면 할 말이 있었는데, 아쉽다.

종혁은 본인도 신고를 할까 하다가 그만뒀다.

"알아서 하겠지."

일반인이, 그것도 여행객이 신고를 하는 것보다 관계자가 신고를 하는 게 더 잘 먹힌다.

"아."

종혁은 저 멀리 파랗게 질린 얼굴로 달려오는 세르게이를 향해 괜찮다는 듯 손을 흔들었다.

역시나 그는 돌아가지 않고 주위를 맴돌고 있었다.

다만 찰나에 벌어진 상황이라 경고하지 못했던 것이다.

세르게이는 한숨을 내뱉었다.

"혁, 여기 더러워졌어."

"아, 그래? 어디?"

"있어 봐. 내가 털어 줄게."

그녀도 많이 놀랐던 듯 몸을 털어 주는 손길이 떨린다.

입맛을 다신 종혁은 하늘을 봤다.

맑고 푸른 뉴욕의 하늘.

"으으음!"

이제야 풀리는 긴장에 종혁은 실소를 터트렸다.

"이건 뭐 미국에 처음 왔다고 신고식을 치르는 것도 아니고.”

그렇다면 신고식 한번 제대로 치렀다고 봐야 했다.

뭔가 폭풍이 지나간 기분이었다.

* * *

“후우.”

아침 운동을 마치고 돌아와 씻은 종혁은 슈트를 꺼내 입었다.

오늘은 프로파일링 포럼에 참가하는 날이다.

인구가 많다는 걸 자랑하듯 범죄 유형도 다양한 미국.

오늘 발표되는 건 그중에서도 진귀한 케이스일 것이다.

다 뼈가 되고 살이 될 데이터들이다.

기대가 될 수밖에 없었다.

마지막 단추를 잠근 그는 침대 옆 서랍장에 올려 둔 반지 케이스를 들어 올렸다.

달칵.

빨간 벨벳 위에 5캐럿 다이아몬드 두 개가 창문에서 쏟아지는 햇빛을 받으며 찬란하게 빛난다.

“좋아하시겠지?”

부디 그랬으면 하는 소망이다.

다시 케이스를 닫은 종혁은 그걸 깊숙한 곳에 숨겼다.

“그럼 모닝커피나…….”

띠리링! 띠리링!

갑자기 세르게이가 준 전화기가 울린다.

이 번호를 아는 사람은 겨우 넷.

어머니, 임성원 교수, 이리나, 세르게이다.

이 중 이리나는 아니다.

이리나는 오늘 종혁에게 일이 있다는 걸 안다.

"예, 최종혁입니다."

ー최! 어떤가요? 아픈 곳은 없나요?

아니, 한 명 더 있었다.

나탈리아였다.

ー세르게이 이 자식!

"괜찮아요. 아픈 곳 없어요."

종혁은 미녀의 걱정에 웃음을 터트렸다.

"종혁아! 다 씻었냐! 가자!"

"예!"

＊　＊　＊

포럼은 맨해튼에 있는 한 컨벤션 센터에서 열렸다.

웅성웅성.

오늘 포럼 내용 때문인지 로비를 돌아다니는 참가자들의 인상이 대단하다.

'조폭…… 아니, 갱단 연회라고 해도 믿겠네.'

때 빼고 광낸 티가 역력하고 미남미녀들도 많지만 수많은 사건들이 변화시킨 눈빛은 어쩔 수가 없다.

마치 누구 하나 걸리기만 해라 하는 듯한 매서운 눈빛들.

본능적으로 사람들의 얼굴을 외우는 모습들에 웃음이 나온다.

그런 종혁도 참가자들의 얼굴을 외우고 있었다.

이건 직업병이었다.

그런데 임성원 교수는 좀 달랐다.

"헉! 저 사람은 안드레 교수? NY CSI의 피터 부국장도 있잖아!"

톱스타를 목격한 소녀 팬처럼 방방 뛴다.

"여, 여기가 낙원인가."

"푸핫!"

이해는 한다.

안드레 교수는 종혁도 아는 이름이다.

유명한 프로파일링에 대한 책을 발간한 영국의 범죄학 교수.

종혁도 그 책을 참고서 삼아 읽어 본 기억이 있다.

프로파일링에 푹 빠져 영국 유학까지 다녀온 그, 보다 나은 범죄 수사 기법을 완성시키기 위해 불철주야 노력하는 임성원 교수에게 이곳은 최고의 톱스타들이 모여 공연하는 올스타 콘서트나 다름없을 터였다.

하지만 사십대 동양인이 방방 뛰어서 그런지 시선이 모인다.

"큼. 한국 경찰 망신 그만 시키시고 가시죠."

"아니, 사인을!"

"자, 갑시다."

"아, 놔 봐! 사이인!"

종혁은 그를 잡아끌며 오늘 발표가 열리는 강당으로 들어갔다.

"아니 그때가 딱 기회였는데……."

투덜투덜.

점심시간이 됐음에도 아직까지 삐져 있다.

고개를 저은 종혁은 햄버거를 크게 물었다.

입안에서 뭉개지는 쫀득한 번과 육즙 불향이 가득한 패티, 풍미가 묵직한 치즈가 특유의 소스와 어우러진다.

'진짜 한국 햄버거 브랜드들은 반성해야 된다니까. 아, 진짜 한번 털어 보고 싶네.'

종혁은 일곱 번째 햄버거를 들었다.

"그나저나 역시 미국은 미국이네요."

"응. 나라가 넓고 인종과 문화가 다양하다 보니 한국에서는 보기 드문 초강력 사건이 많아."

오늘 포럼에 대한 이야기가 나오자 임성원 교수도 진지해진다.

"그중 가장 관심이 갔던 건……."

"연쇄 아동 납치 살인 사건이요?"

임성원 교수는 고개를 끄덕였다.

아직 한국엔 미제로 남은 아동 납치 사건들이 있기 때문이다.

연쇄 아동 납치 살인 사건.

범인은 부동산 중개인이었다.

소재지는 바로 이곳 뉴욕.

수법은 이사할 집을 찾아온 일가족에게 집을 소개시켜 준 후 시간을 두고 아동을 납치.

돈을 받아 챙기고 아동을 살해한 사건이다.

범인과의 통화 녹음 중 들린 뱃고동 소리가 아니었다면 잡지 못했을 살인마.

문제는 이게 오늘 발표된 사건 중 가장 약하다는 점이 었다.

발표는 한 사람당 25분의 시간이 주어졌는데, 아침부터 점심까지 들은 사건만 총 10개였다.

"특정 날씨에 특정 여성을 겨냥해 납치 강간 살해한 사건도 관심 가더라."

임성원 교수는 다 먹은 햄버거 포장지를 구겼다.

이번엔 종혁이 고개를 끄덕였다.

한국에도 이와 비슷한 케이스의 미제 사건이 있기 때문이다.

그리고 그 사건은 임성원 교수의 한이자 미련이었고, 이 사건 때문에 프로파일링에 집착하게 된다.

나중에 유명해지는 이야기다.

'곧 잡을 겁니다, 교수님.'

DNA 수사 기법이 활성화됐다.

이제 놈을 잡는 건 시간문제였다.

어차피 어디로 도망가지도 못하는 놈.

"햐. 정말 이런 걸 볼 때마다 아쉽다니까. 우리나라도 그런 기술을 팍팍 쓰면 더 많은 범인을 잡을 수 있을 텐데……."

음성 추출 기술이나 화학반응 기술 등의 첨단 과학수사 기술.

프로파일링에는 이런 과학수사 기술이 필수불가결이다.

그렇다고 한국에 이런 기술이 없는 건 아니다.

다만 이용하는 데 까다로운 절차를 거쳐야 돼서 문제다.

모두 예산 탓이다.

"진짜 그놈의 예산."

"뭐? 푸하하하핫!"

반사적으로 튀어나온 종혁의 말에 임성원 교수는 웃었고, 아차 한 종혁은 머리를 긁었다.

'그냥 싹 다 사서 기부해 버릴까?'

종혁은 정체가 들통나지 않으면서 기부할 수 있는 방법을 진지하게 고민했다.

"그래, 그놈의 예산이다. 아, 진짜 그놈의 예산 생각 안하고, 확보한 기술들 팍팍 쓰는 모습 좀 보고 싶네! 에이, 이건 왜 이렇게 맛있어?"

"하하."

같은 마음인 종혁은 8번째 햄버거를 들었다.

띠리링! 띠리링!

"저, 잠시……."

"응. 받아. 그냥 앉아서 받아. 그 아가씨야?"

어색하게 웃은 종혁은 전화를 받았다.

"네, 최종혁입니다. 어? Jack?"

─내일 시간 됩니까, 최?

종혁의 눈이 크게 뜨였다.

"……이렇게 빨리요?"

─저도 놀랐습니다. 어떻게 하겠습니까?

"오오! 당연히 가야죠!"

"응? 뭐야. 어디 가는데?"

"아, 그게…….''

말을 하려던 종혁은 입을 다물었다.

그리고 방금 전 대화를 떠올리며 씩 웃었다.

"잭, 그 견학에 한 사람 더 추가할 수 있을까요?"

임성원 교수는 의미심장하게 바라보는 종혁의 눈빛에 고개를 모로 기울였다.

* * *

FBI.

미 연방 수사국.

내란 같은 국가 안보 문제부터 도난품의 주간 운반까지 다루는 미국 최고의 수사기관 중 하나다.

수사와 인사에 관해서는 대통령이나 의회도 참견할 수 없으며 최첨단 수사 기술을 마음껏 쓰는 단체.

종혁 같은 형사들에게는 꿈 혹은 낙원 같은 곳이다.

"여기가 FBI……."

"워싱턴에 있는 본부는 아니지만요."

"에프 비 아이."

"교수님?"

와락!

임성원 교수가 종혁을 끌어안았다.

"내가 죽기 전에 FBI에 와 보다니! 네가 진짜!"

보물이다.

지국이면 어떤가.

FBI에 왔다는 게 중요했다.

그것도 본부 워싱턴과 비교해도 꿀리지 않는 뉴욕에.

"흐흐. 오늘 네고시에이팅 포럼엔 안 가셔도 되겠어요?"

"지금 그게 문제냐? FBI인데!"

그건 종혁도 같은 마음이었다.

한 사람의 경찰로서 세계 최첨단의 수사 기술을 활용하는 FBI는 죽기 전에 꼭 들러 보고 싶은 곳이었다.

"사제가 정말 친하군요. 보기 좋습니다."

"아, 잭. 교수님, 이쪽이 잭 와일러예요."

"오! 반갑습니다!"

두 남자는 뜨겁게 악수를 했다.

"그럼 들어가실까요?"

셋은 FBI 뉴욕 지국 안으로 들어갔다.

방문객이라서 그런지 검사는 철저했다.

X레이나 금속 탐지는 물론이고, 핸드폰과 지갑, 하물

며 볼펜까지도 검사를 마친 후에야 방문증을 받을 수 있었다.

그러나 종혁과 임성원은 불쾌해하지 않았다.

최첨단의 수사 기술과 범죄에 관한 데이터가 모인 곳이다.

이 정도 보안은 당연했다.

시간이 지체되면서 좀 생겼던 짜증도 검사실을 보자 싹 사라져 버렸다.

마치 연구소를 보는 듯한 검사실.

탄소 연대 측정, 유전자 분리, 지문 채취, 총알 지문 검사 등 총 두 개 층을 쓰는 검사실은 환상의 놀이공원이 따로 없었다.

그것도 죄다 발명된 지 얼마 되지 않아 따끈따끈한 최신 기기들이다.

"진짜 딱 검사실만 포장해서 한국에 가져가고 싶다."

"동감입니다."

'진짜 사?'

잭이 다가왔다.

"구경은 잘 하셨는지 모르겠군요."

"정말 귀한 구경을 했어요, 잭."

"그럼 오늘 탐방의 진짜 목적지로 가 볼까요?"

둘은 눈을 빛냈다.

강력계.

수사기관의 꽃은 누가 뭐래도 강력계다.

셋은 다시 이동했다.

"잭!"

"밀리."

안경을 낀 삼십대 백인 여성이 잭 와일러를 반긴다.

"저뿐만 아니라 밀리도 신원보증을 서 줬습니다."

종혁과 임성원 교수는 감사를 표했다.

"조심히 들어오세요. 어제 사건이 하나 터져서 팀원들 모두 신경이 날카롭거든요."

"사건?"

"2인조 무장 강도 사건이에요. 대낮에 큰 주얼리 숍이 털렸는데 마침 비번이었던 경관이 그 근처를 지나다…….."

뒷말은 듣지 않아도 됐다.

"예민할 만하군."

경관 부상.

한국 경찰도 뒤집어질 문제다.

종혁과 임성원 교수는 입을 꾹 다물었다.

하지만 곧바로 열릴 수밖에 없었다.

족히 30평은 될 법한 커다란 사무실.

한쪽엔 프로젝션 TV가 크게 걸려 있고, 곳곳에 뭔가가 빼곡하게 적힌 화이트보드가 세워져 있다.

딱 봐도 조사 중이거나 해결되지 않은 사건 기록이다.

결코 잊지 않겠다는 의지가 엿보인다.

그리고 개별 책상엔 최신식 컴퓨터와 팩스 등이 있다.

'합동 수사본부급인데?'

한국은 이만한 크기의 사무실에 많으면 3개의 수사반이 있고, 프로젝션 TV는 큰 회의실에나 가야 볼 수 있는 물건이다.

뒤의 탕비실에서 도넛과 커피를 즐기는 요원들의 여유로움이 크게 다가온다.

'오길 잘했네.'

몇 년 후 형사가 됐을 때 차용할 부분들이 많이 보인다.

'사비로 할 건데 누가 태클을 걸어?'

종혁은 꼭 사무실을 이렇게 꾸미겠다 다짐했다.

그러는 사이 밀리의 자리에 도착했다.

모니터에는 사진 하나가 띄워져 있었다. 사건 현장을 담은 CCTV 사진이었다.

광대 가면을 쓴 2인조.

'어라?'

종혁은 눈을 껌뻑였다.

"이 사건이야?"

"앗! 보시면 안 되는데? 끙, 맞아요. 주얼리 숍 바깥 CCTV 화면이에요. 범인들이 이 차를 타고 도주했어요."

"흠. 도요타라…… 이거 잡기 힘들겠는데?"

뉴욕에서 도요타 차량은 너무 흔하다.

"네. 번호판도 가짜였고요."

심각해지는 밀리의 모습에 종혁은 볼을 긁적였다.

우연도 이런 우연이 있나 싶었다.

말할까, 말까 고민하던 종혁은 결국 말하기로 했다.

"저 이거 봤는데……."

임성원, 잭, 밀리가 다급히 종혁을 봤다.

"세계무역센터에서 월스트리트 쪽으로 사라졌습니다."

"지, 진짜요?!"

"네. 얼굴도 봤어요. 남녀 2인조였죠?"

"……!"

덜컹! 끼긱!

안에 있던 12명의 요원들이 모두 하던 일을 멈춘 채 종혁을 봤다.

"기, 기억하나요?"

"얼굴에 있던 점의 개수도 알려 드릴까요?"

종혁은 싱긋 웃었다.

* * *

둘의 키, 추정 연령, 문신 여부, 눈동자 색깔, 흉터, 입은 옷, 얼룩, 뒷좌석에 올려져 있던 쓰레기의 양과 종류까지.

종혁은 짧은 순간 파악한 모든 걸 말했다.

"What the……."

너무 상세해서 사기를 치는 건지 의심이 갈 정도다.

"아, 전 한국 경찰 간부 코스를 밟고 있는 간부후보생 도입니다. 이쪽은 저희 학교 교수님이시고요."

"……!"

"하, 한국의 경찰 간부후보는 그런 능력까지 배우는 거야?"

"한국은 경찰 간부가 아니라 초능력자를 양성하는 건가?"

"잠깐! 잠깐! 다시 한번 설명해 주겠어?"

"얼마든지요."

몽타주 제작자까지 불러서 둘의 몽타주를 상세하게 그렸다.

"맙소사. 너무 어리잖아?!"

여성의 나이는 십대 후반으로 추정된다.

반면 남성은 삼십대 초반.

"분명 여자애가 말리면서 '데릭'이라고 외쳤어요."

이름이 나왔다. 엄청나게 중요한 단서였다.

"……얼굴 데이터베이스 돌려 봐! 얼른!"

사무실이 순식간에 부산스러워졌다.

벌컥!

문이 열리며 빨간 구두를 신은 노년 여성이 들어왔다.

"뭐가 이렇게 시끄러워?"

"반장님!"

"어제 사건 단서라도 찾은 거야 뭐…… 어?"

종혁도 다시 눈을 껌뻑였다.

"슈퍼맨?"

"그레이스 씨?"

요원들은 서로를 알아보는 둘을 멍하니 바라봤다.

그 순간이었다.

-오피서 다운! 오피서 다운!

모두의 고개가 천장에 걸린 스피커로 돌아갔다.

-8번가 코너 은행에서 무장 강도 사건 발생! 총 3명 사망, 경관 1명 사망, 2명 부상. 현재 추격 중! 3팀에서 맡는다!

3팀이면 바로 이곳이다.

"얼른 TV 켜!"

"예!"

캘리 그레이스의 다급한 외침에 프로젝션 TV와 다른 브라운관 TV들이 모두 켜진다.

그러며 다급한 추격전이 흘러나온다.

그에 사람들은 식겁했다.

"저, 저 차는?!"

회색 도요타.

어제 범죄에 쓰인 차량이었다.

모두의 시선이 종혁에게로 모였다.

5장. 발표를 하다

발표를 하다

동료 경관이 다치는 걸로도 경찰은 폭발한다.

어떻게든 잡아넣으려 눈에 불을 밝힌다.

그런데 죽었다?

그때부턴 눈이 뒤집힌다.

'쟤들 죽었네.'

한국이라면 죽을 때까지 팬다.

죽이진 못해도 몸 성히 걸을 수 없을 만큼 패고, 모든 인맥을 동원해 교도소에서도 편히 살지 못하게 만든다.

그런데 미국이라면?

일그러진 요원들의 표정을 훑은 종혁의 눈이 캘리에게로 향했다. 그녀는 치솟는 분노의 불길을 힘겹게 누르고 있었다.

"저거 방송국 헬기지?"

"예!"

"우리 헬기 급파하고, 타격팀 동원해."

"예!"

우당탕.

사무실이 전시 태세에 들어간다.

누군가는 전화를 붙잡고, 누군가는 권총을 점검하더니 재킷을 낚아채며 사무실을 튀어 나간다.

정말 전시 상황처럼 빠릿빠릿해진다.

"그리고……."

캘리의 일그러진 눈이 종혁에게 닿았다.

"미안하지만 비관계자는 아웃."

'음.'

툭!

임성원 교수가 아쉬워하며 종혁을 쳤다.

은행 강도 같은 초강력 사건이다.

한국에는 너무 진귀한 부류의 사건.

도주 경로, 포위망 구성 등 데이터를 쌓을 수 있는 기회지만 나가야 한다. 눈이 돌아간 경찰의 심기를 건드리는 것만큼 멍청한 짓도 없었다.

"종혁아?"

하지만 종혁은 망설였다.

왜인지 쉽사리 발이 떼어지지 않는다.

'뭘까. 대체 왜일까.'

운전자였던 남성을 붙잡고 흔들던 소녀의 일그러진 얼

굴이 갑자기 떠오른다. 캘리를 잡고 구르던 종혁 본인을 향하던 소녀의 눈빛이 발목을 잡는다.

"……인사가 늦었습니다. 한국 경찰대학교 간부후보생도 최종혁입니다."

임성원 교수는 경악했다.

"종혁아!"

'이 미친놈아!'

캘리의 눈이 서늘해진다.

까득!

"은혜를 갚으란 건가요?"

요원들의 눈빛도 심상치 않아진다.

임성원 교수와 잭이 종혁의 팔을 잡았다.

"부탁드리겠습니다. 쥐 죽은 듯 있겠습니다."

흠칫!

종혁을 노려보던 캘리는 이내 놀랐다.

'이 아이?'

눈에 흥분이 없다. 단 한 점조차도.

그저 맑고 깊을 뿐이다.

이쪽의 일을 블록버스터 영화처럼 생각하는 눈이 아니었다.

'흠.'

"정말 시체처럼 있어야 할 거예요."

"……!"

종혁의 얼굴이 환해지자, 혀를 찬 그녀는 놀라는 부하

직원들을 향해 호통을 쳤다.

"뭐 해! 지금 놀 때야?! 은행 CCTV는 왜 안 들어오는 거야!"

"지, 지금 들어왔습니다!"

"얼른 띄워!"

"넷!"

옆의 밀리가 다급히 컴퓨터를 조작하자 추격전 화면이 작아지고, CCTV 화면이 송출됐다.

모두 이를 악물며 그 모습을 지켜봤지만, 죽다 산 기분인 임성원 교수와 잭은 종혁을 타박했다.

'이 미친놈아!'

'날 죽일 셈입니까, 최!'

"하하."

어색하게 웃은 종혁은 프로젝션 TV를 가리켰다.

닥치고 보잔 소리였다.

한숨을 내뱉은 임성원 교수는 눈에 힘을 줬다.

어찌 됐든 데이터를 쌓을 수 있는 기회다.

그는 단 하나라도 놓치지 않기 위해 집중했다.

마침 빨리감기 되던 화면에서 2인조 무장 강도가 나타났다.

"멈춰!"

모두가 숨을 죽이며 흐릿한 화면을 노려봤다.

두 명의 강도가 문을 열고 들어오며 총을 빼낸다.

탕탕!

키 큰 강도 데릭의 총이 두 번 흔들린다.

꺄아악!

늦은 아침 은행 일을 보러 온 사람들이 머리를 붙잡으며 도망친다. 그러다 곧 키 큰 강도의 외침에 엎어진다.

소리는 없다.

하지만 CCTV 속 행동들에, 소리가 없어도 마치 들리는 것 같다.

저 순간 저곳에 공포가 휘몰아쳤다.

만족스럽게 어깨를 편 데릭이 소녀에게 무언가 지시한다.

창구로 향하는 걸 보니 돈을 가져오라 시키는 것 같다.

소녀는 잠시 망설이다 발을 뗀다.

데릭은 엎어진 사람들은 노려본다.

적막에 빠진 공간.

그 순간 CCTV 한곳에서 움직임이 생긴다.

"음."

곳곳에 세워진 나무 테이블.

그 뒤에 엎드린 사람 중 정장을 입은 중년인이 슬그머니 몸을 일으키더니 허리 뒤춤에 손을 가져간다.

빠져나온 권총 한 자루가 테이블을 방패 삼아 내밀어진다.

경찰이다.

탕탕!

"아!"

다리를 맞고 흔들린 데릭.

응사한다.

탕탕탕!

경찰은 다급히 몸을 숨겼다.

그러나.

"악!"

"FUCK!"

데릭과 달리 벌러덩 넘어진다.

경찰은 넘어진 상태로 응전하지만 몸이 드러났다.

데릭은 경찰을 향해 계속 발사한다.

그러다.

틱틱!

총알을 다 쓴 듯 흔들리지 않는 데릭의 권총.

데릭은 소녀에게 무어라 외친다.

마치 너도 쏘라는 것 같은 느낌.

소녀는 허둥지둥거린다.

발을 강하게 구른 데릭은 소녀에게서 권총을 뺏어서 다시 경찰에게 난사했다.

확인 사살이다.

아니, 조롱이다.

데릭은 움직임이 멈춘 경찰을 보며 웃음을 터트렸다.

까드득! 아드득!

요원들의 두 눈에서 살기가 폭발했다.

그들은 가방을 챙겨 도망치는 2인조를 찢어발길 듯 노려봤다.

"……."

캘리 그레이스는 입을 열었다.

"저격팀 출발시켜. 이 개새끼들…… 그냥 죽인다."

처형 명령이 떨어졌다.

지금 그들이 무척이나 바란 명령.

미국 경찰, FBI이기에 내릴 수 있는 명령.

"예!"

"다시 화면 띄우고."

요원들이 프로젝션 TV 앞에 모여든다.

종혁과 임성원 교수는 철저하게 잊혔다.

그래서 보지 못했다.

고개를 모로 기울이는 종혁의 모습을.

'이거 뭔가 이상한데?'

하지만 아직은 감이 잡히질 않는다.

다행이라면 위화감이 더 커졌다는 점이다.

뭔가 있다.

종혁은 빤히 TV를 응시했다.

"제보 들어왔습니다! 회색 도요타 2인조! 6일 전……."

그의 눈빛은 방금 전보다 더 가라앉아 있었다.

* * *

부르릉!

회색 도요타가 코너의 한 은행 앞에 선다.

마른 얼굴, 푸른 눈의 데릭이 은행을 보며 실실 웃는다.

6일 전 마트와 주얼리 숍을 털며 점검을 마쳤다.

그동안 저지른 범죄는 모두 오늘을 위한 일.

이곳만 무사히 털면 이 지긋지긋한 뉴욕도 탈출이었다.

데릭은 소녀를 봤다.

벌써 몇 번째임에도 아직도 무서운지 몸을 덜덜 떨고 있는 소녀.

데릭의 눈이 애정으로 일그러진다.

"무섭지?"

흠칫!

"그것도 오늘로 끝이야. 조금만 참으면 우리는 저기 멕시코 해변에서 행복하게 살 수 있어."

도중에 갈아탈 차와 위조된 신분도 준비해 놨다.

"앞으로 겨우 3분이야, 데이지. 참을 수 있지?"

데릭의 손이 소녀 데이지의 얼굴을 쓸어내린다.

움찔!

'시, 싫어.'

몸을 움츠린 데이지의 눈이 흔들린다.

무섭다.

너무 무섭다.

지금이라도 도망치고 싶다.

하지만.

"그곳에서 우리 사랑의 결정체를 만들면 네 부모님도 나를 인정할 거야."

데이지는 다급히 데릭을 봤다.

애정이 가득한 눈으로 지그시 바라보는 눈빛.

"나도 괴로워. 하지만 이 모든 건 우리의 미래를 위해서야."

데이지의 눈빛이 회색으로 죽었다.

"으, 응."

"그래. 가자. 저번처럼 병신같이 굴지 말고."

덜컥!

차 문을 열고 내리는 데릭을 보는 그녀의 턱이 덜덜 떨린다.

'내가 왜…… 누가…….'

"데이지?"

열린 차창을 향해 고개를 내민 데릭.

"아, 알았어!"

탁!

황급히 내린 그녀는 데릭의 옆에 섰다.

선글라스를 끼고, 마스크를 끌어올렸다.

만족스럽게 웃으며 같은 행동을 한 데릭은 은행으로 향했다.

그리고 문 앞에 서며 레이디 퍼스트를 했다.

데이지는 반사적으로 문을 밀었고, 데릭은 품 안의 권총을 꺼내 들며 사전에 와서 체크한 은행 경찰을 향해 쐈다.

앞에 사람들이 있어도 무시하고.

탕탕!

"모두 엎드려!"

"……꺄아아아악!"

부아아아앙!
"FUCK! FUCK! Fucking police!"
다리가 떨어져 나가는 것 같다.
사복 경찰이 있을 줄은 몰랐다.
죽여서 당장의 문제는 해결했지만, 모든 계획이 어그러졌다.
이제 뉴욕의 모든 경찰들이 자신들을 쫓을 거다.
'내가 왜 몇 군데서나 사전 연습을 했는데!'
경찰과 충돌을 일으키지 않고 따돌리기 위해서였다.
빌어먹을 경찰들은 평소엔 엉덩이가 철근보다 무겁지만, 같은 경관이 다치면 악마보다 빠르고 지독하게 움직인다.
바로 지금처럼.
삐이이잉! 삐용삐용!
경찰차들이 뒤를 쫓는다.
예정대로 3분 만에 털었는데 사냥개들의 사냥이 시작됐다.
무조건 빠져나가야겠지만, 이제 모든 시, 주, 국경의 경계가 삼엄해질 거다.
마스크와 선글라스를 벗은 데릭은 데이지를 죽일 듯 노려봤다.
"네가 또 병신같이 행동해서!"

"미, 미안해!"

"닥쳐!"

삐이이이잉!

정면 저 멀리에서 경찰차들이 온다.

데릭은 다급히 핸들을 꺾었다.

끼이익!

"꺄아악! 데릭! 앞! 앞!"

코너를 꺾자마자 보이는 횡단보도.

파란불인 듯 사람들이 지난다.

데릭은 액셀을 강하게 밟았다.

"데릭-!"

"닥쳐! 닥치라고!"

흥분한 데릭의 눈에 다시 경찰차가 보인다.

그는 다시 핸들을 꺾었다.

'여기만 빠져 가면 돼! 여기만!'

이 포위망만 빠져나가면 된다.

이 골목을 지나 한 번만 더 꺾으면 집하장이다.

차들이 많은 택배 집하장.

충분히 떨궈 낼 수 있다.

하지만.

"데, 데릭, 앞!"

삐이잉!

빨갛고 파란불을 번쩍이는 검은색 SUV.

FBI다.

FBI가 이쪽을 향해 맹렬하게 달려오고 있다.

앞에는 FBI, 뒤는 NYPD.

"제기랄!"

데릭은 다급히 브레이크를 밟았다.

그리고 다급히 문을 열고 뛰쳐나갔다.

하지만.

"내려! 죽을 거야?!"

움찔!

왜인지 망설이는 데이지.

데릭의 눈이 일그러졌다.

"도망치려고? 쟤들이 널 가만둘 것 같아?!"

경찰이 죽었다.

공범도 죽는다.

파랗게 질린 그녀는 다급히 차에서 내렸고, 데릭은 경찰과 FBI를 향해 권총을 난사했다.

탕탕탕탕탕!

"꺄악!"

"으악!"

거리가 공포에 휩싸였다.

"오지 마, 이 새끼들아! 너도 쏴!"

"하, 하지만!"

"이 병신 같은 년! 그럼 저기 문이나 열어!"

데이지는 황급히 데릭이 가리키는 등 뒤 카페의 문을 열었다.

"뭐 해! 들어가!"

탕탕!

"모두 엎드려!"

사람들이 비명을 지르며 엎드리고 경찰과 FBI가 정문을 가로 막았다.

차 문을 열고 이곳을 향해 총을 겨눈 경찰들.

데이지의 심장은 덜컹 내려앉았지만, 데릭은 도리어 문을 열었다.

"꺄악!"

일으킨 여성의 머리에 총구를 겨눈 채.

"여기 인질들 죽는 꼴 보기 싫으면 물러나!"

다시 공포와 혼란의 도가니에 빠진 카페.

카운터에 몸을 숨긴 데이지는 밖을 보며 눈물을 흘렸다.

이젠 정말 한계다.

도망치고 싶다.

왜 그곳에서 데릭에게 홀렸을까.

왜 데릭을 따라왔을까.

'누가 날 좀 구해 줘요. 죽고 싶지 않아.'

그녀는 후회하고 또 후회했다.

'아빠…….'

* * *

"Oh my……."

결국 생각하기 싫었던 상황이 벌어졌다.

인질극.

숨 막히는 긴장감이 사무실을 맴돈다.

하지만 지난 30여 년간 이보다 더한 상황도 봐 온 캘리 그레이스는 냉정하게 상황을 파악했다.

궁지에 몰린 강도들이 벌이는 인질극.

어설프게 진압했다간 다른 사상자가 생길 수 있다.

대치가 길어져도 사상자가 생길 수 있다.

이미 인질을 잡아 총으로 위협했기에 백 퍼센트다.

"타격팀 시선 뺏고, 저격팀 포인트 잡아."

'결국!'

임성원 교수는 눈을 질끈 감았다.

극악한 범죄를 저질렀지만, 십대 소녀다.

물론 심판을 받아야 되지만, 그건 어디까지나 법정에서다.

회개를 할 수 있는 나이.

이렇게 허무하게 사라져 가는 걸 지켜봐야 한다는 게 괴롭다.

그런데.

"아."

눈이 돌아갔던 FBI 요원들도 안타까워했다.

그토록 바란 명령이지만, 십대라는 점이 마음을 흔든다.

하지만 더 이상 말하지 않는다.

문화와 입장 차이다.

임성원 교수는 그 모습이 못내 아쉬웠다.

"하아. 음? 뭐 해?"

임성원 교수는 밀리 옆에 붙어 있는 종혁을 봤다.

종혁이 은행 CCTV를 다시 돌려보고 있다.

그리고 지금 대치 장면을 처음부터 다시 돌려보고 있다.

"흐음. 흠. 계속 걸리네."

"종혁아?"

"신원 떴습니다!"

사무실 분위기가 급변한다.

"이렇게 빨리?"

캘리는 화들짝 놀랐다.

이제야 겨우 얼굴을 드러낸 둘이다.

은행 CCTV에서는 얼굴이 나오지도 않았다.

"저기 최의 도움 때문입니다."

요원들은 사정을 설명했고, 캘리는 깜짝 놀랐다.

'어제 그 뺑소니였다고? 그리고 그 찰나에 그걸 다 봤다고?'

종혁은 어깨를 으쓱이며 프로젝션 TV를 가리켰다.

프로젝션 TV에 둘의 신원이 떠오른다.

"남성 데릭 쿠퍼! 31세!"

전과 7범.

폭행 전과 2범, 강도 전과가 3범이다.

미성년 강간 전과와 마약 전과도 있다.

14세부터 지금까지 범죄자 인생을 살았다.

그럴 줄 알았다는 듯 욕설이 터진다.

하지만 이후 나타난 데이지의 신원을 본 요원들은 탄식을 터트렸다.

데이지 험프리. 18세.

미소가 해맑은 금발의 십대 소녀.

가출로 추정되는 실종 신고가 된 아이다.

가출. 그들의 머릿속에서 하나의 시나리오가 쓰였다.

"아니, 하필이면 저런 쓰레기와……!"

눈이 맞아 가출 후 데릭의 꼬드김에 범행.

십대의 뒤틀린 일탈이다.

아무것도 모르는 십대와 능숙한 이삼십대의 만남.

의외로 흔히 있는 일이다.

안타깝지만 범죄를 저질렀다.

그것도 경관 살해 및 일반인 살해.

못해도 2급 살인이다.

─포인트 잡았습니다. 둘 모두 시야에 들어옵니다. 명령을…….

사무실이 조용해진다.

모두의 시선이 3반 반장 캘리 그레이스에게로 향한다.

캘리는 한숨을 내쉬며 입을 열었다.

"아, 그랬구나. 왜 그렇게 걸리는가 싶더니만, 참. 끌려다니는 거였어?"

나지막한 음성이 울린다.

휙!

캘리와 요원들, 사람들의 고개가 종혁에게로 향했다.

종혁은 어이없다는 듯 웃고 있었다.

"지금 뭐라고…….”

"데이지 험프리, 쟤. 데릭이란 새끼한테 끌려다니는 겁니다. 억지로.”

"뭣?!”

한국에서도 찾기 힘든 케이스다.

"저러니 그랬지. 이제야 이해되네.”

"이봐, 슈퍼맨! 아마추어는……!”

종혁은 무시하며 입을 열었다.

시간이 없다.

명령만 떨어지면, 빵빵.

지체해도 궁지에 몰린 데릭이 인질을 쏠 수 있다.

"밀리, 은행 CCTV 화면 좀 다시 띄워 줘요.”

당황한 밀리는 캘리를 봤다.

캘리는 종혁을 보고 있었다.

"얼른! 시간이 없습니다!”

'대체 뭘 하자는 거야…….'

그러나 눈빛이 너무 간절하다.

단 한 점의 사심도 없고, 어떻게든 누군가를 살리려는 눈빛이다.

그녀에게는 너무도 익숙한 눈빛.

한 명이라도 희생자를 덜 내고자 하는 경찰의 눈빛이다.

까득 이를 간 캘리는 고개를 끄덕였고, 결국 프로젝션 TV에 CCTV 영상이 틀어졌다.

탕탕 소리 없는 총성이 다시 울렸다.

그러다.

"멈춰!"

종혁은 안절부절못하다 총을 뺏기는 데이지를 가리켰다.

"안 보입니까?!"

"……?"

"니미! 카페에 들어가기 전 영상도 띄워 줘요!"

프로젝션 화면이 분할됐다.

몰려드는 경찰에 당황하던 데이지가 총구를 이리저리 돌리다 문을 열고 들어가는 부분에서 종혁은 '멈춰.'를 외쳤다.

그는 캘리를 봤다.

"이래도 모르겠습니까?"

"……?"

"총을 안 쏘잖아요! 총을!"

"……?!"

"데이지라는 애 지금까지 단 한 번도 총을 안 쐈습니다! 마트와 주얼리 숍 CCTV도 띄워 줘요!"

밀리는 다급히 6일 전과 어제 사건 CCTV를 열었다.

"봐요!"

"……어?"

캘리와 요원들의 얼굴이 급변한다.

목을 빼며 4개의 영상을 살핀다.

그러다 정말임을 깨닫는다.

-반장님?

"자, 잠깐 기다려!"

캘리는 종혁을 봤다.

그녀의 눈동자가 갈등으로 흔들린다.

"자세히 설명 좀 해 줄 수 있을까요?"

"그러죠."

종혁은 앞으로 나서며 영상들을 가리켰다.

"이 영상들 전부, 그 어느 곳에서도 데이지는 능동적이지 않습니다. 언제나 데릭이 뭐라 하면 그제야 움직입니다. 그것도 망설이다가 재촉할 때야 겨우."

어딜 봐도 수동적이다.

그녀가 보기에도 그렇게 보인다.

"하지만 그거 가지고는!"

데릭에게 홀딱 빠져 있지만, 범죄를 저지르는 게 무서워서 수동적으로 움직이는 것일 수 있다.

종혁은 데이지의 프로필을 가리켰다.

"전과 없이 깔끔합니다."

술 마시고 사고 치거나 가출한 이력이 없다.

깔끔하다.

"어? 저 학교는?"

밀리가 놀란다.

"아는 곳입니까?"

"네. 꽤 유명한 사립학교예요."

"잘됐군요. 데이지의 학교 성적 좀 띄워 주세요."

"네, 네!"

밀리는 얼른 데이지의 학교로 전화해 성적표를 메일로 보내 달라 외쳤다.

약간의 시간이 흐른 후 TV에 데이지의 성적이 나타났고, 종혁은 고개를 끄덕였다.

"역시."

캘리도 화들짝 놀랐다.

성적은 A, 교우 관계 원만.

"댄스부에, 주말마다 봉사 활동을 할 만큼 사람을 좋아하고 동적인 걸 좋아하는 아입니다. 아, 학교에서 친구들과 노래를 부르다 경고를 받은 게 있네요."

물론, 이러한 데이터만으로는 데이지가 어떠한 사람인지 판단할 수 없다.

다만 지극히 평범했던 소녀가 갑자기 강도로 변모했다는 건 누가 봐도 이상한 일이었다.

"데릭의 강간 사건 파일 좀 띄워 주세요."

타다닥!

"……!"

사람들은 놀랐다.

일반적인 강간 사건이 아니다.

연인 관계였는데 피해자가 데릭의 폭행을 못 이겨 강간으로 신고한 거다.

데릭이 어떠한 성향을 지닌 인물인지 단번에 이해할 수 있는 사건이었다.

캘리는 납득한 듯 고개를 주억이면서도 한 가지 가능성을 제기했다.

"하지만 스톡홀름일 수도 있어요."

스톡홀름 증후군.

자신에게 피해를 주는 범인의 불행한 가정사에 감화되어 사랑한다 착각하고 집착하는 정신병이다.

"그건 이 상황에 맞지 않습니다. 저거 가스라이트 이펙트(Gaslight Effect)입니다."

"……가스라이팅?"

가스라이트 이펙트 사례는 너무 많다.

그중 대표적인 게 가정 폭력이다.

아내 혹은 남편.

가장이 가장의 권위와 폭력으로 가정을 제 뜻대로 휘두르는 것이다.

"납치가 아니라?"

임성원 교수의 말에 종혁은 고개를 저었다.

그도 스톡홀름 증후군을 생각하고 있었는데, 대부분 인질이나 납치 같은 극한의 상황에서 그런 일이 발생한다.

"처음엔 제 발로 따라갔을 겁니다. 마지막 목격 장소가…… 다이너군요."

다이너.

한국으로 치면 24시간 카페 같은 곳이다. 음식, 음료, 술을 모두 파는.

남녀노소 다 찾는 사랑방이다.

"저기 어떤 남자와 즐겁게 이야기했다는 증언도 있군요. 친구는 맥주 한 병을 마신 후 먼저 돌아갔고요."

이래서 가출로 추정되는 실종 신고였다.

"……."

"그 남자가 데릭이고, 처음엔 좋아서 따라갔다면? 좋은 밤을 보냈지만, 거기서 일이 틀어져 감금을 당하게 됐다면? 데릭이 데이지를 좋아하게 됐다면?"

"……."

"아마 데릭은 어르고 달래고 윽박지르며 천천히 자기 색깔로 물들였을 겁니다."

실종 신고가 된 지 7개월이다.

충분히 가능하다.

"어쩌면 소중한 걸 들먹이며 협박했을지도 모르죠. 그렇게 시간이 흐르며 데이지도 지쳐 갔겠지만, 사람은 협박을 당하면 겁에 질려도 미세한 반발심은 생기게 됩니다. 그 결정적인 증거로……."

종혁은 마트 CCTV를 보여 달라고 했다.

"저기 저 부분. 보이십니까?"

허리 밑으로 내린 손을 이리저리 뒤집고 있다.

신호다.

무심코 넘어갈 수 있으나 종혁의 말을 듣고 보니 구조 신호였다.

"말도 안 돼……."

사무실에 다시 침묵이 내려앉았다.

그들은 멍하니 종혁을 봤다.

그럴듯하다.

너무 그럴듯해서 진실 같다.

아니, 이건 진실이다.

드물지만, 이런 사건이 몇 건 있었다.

캘리는 입을 열었다.

"저격팀?"

―명령을 기다립니다.

"남자만 쏴."

―……옛썰.

투두둥!

저격팀의 발포음과 함께 유리창이 깨지며, 한 십대 소녀의 오랜 악몽도 깨어났다.

* * *

아쉽기도 하고 다행이기도 하지만, 데릭은 죽지 않았다.

총알이 심장을 비켜 가며 살았다.

"허어엉!"

FBI 조사실.

시멘트로 둘러진 공간에서 조사를 마친 소녀 데이지는 백발이 성성한 부모에게 달려들어 그동안의 공포와 설움을 쏟아 냈다.

"오, 데이지. 내 공주님."

"미안해요. 정말 미안해요! 다신 남자랑 이야기도 안 할래요!"

"아니다, 공주님. 넌 잘못한 거 없단다."

종혁은 부녀 상봉을 보며 안도의 담배를 물었다.

"후우. 진짜 이런 사건들은 씨발……."

순간의 일탈에 빠져 버린 악의 구렁텅이.

이런 종류의 사건을 볼 때마다 가슴이 답답하다.

먼저 보호해 주지 못해서.

임성원 교수는 동감이라는 듯 고개를 끄덕이다 헛웃음을 터트렸다. 한국어를 알아듣지 못한 잭 와일더는 고개를 모로 기울였다.

"아주 베테랑 형사처럼 말한다? 그냥 형사하지, 왜?"

"하하하."

"저……."

다가온 데이지가 허리를 넙죽 숙였다.

"감사합니다! 덕분에 살았어요! 저기 요원님께 다 들었어요! 제가 주, 죽을 뻔했다고."

그렇게 말하는 그녀의 얼굴은 파랗게 질려 있다.

'어이구, 이 아줌마야. 피해자에게 사살당할 뻔했다고 말한 거야?'

반장쯤 돼서 이렇게 눈치가 없나 싶었다.

'엄지 치켜들지 마!'

이게 미국의 문화인가 싶었다.

"아니에요. 당연한 일이었던 걸요. 마트에서 구조 신호

보냈죠?"

데이지는 눈을 동그랗게 떴다.

"그, 그걸 보셨어요?"

맑은 녹색 눈에 눈물이 그렁그렁 맺힌다.

불끈!

'역시!'

종혁은 속으로 안도의 한숨을 내쉬며 긴장을 완전히 풀었다.

그녀는 끌려다닌 게 맞았다.

'다행이네.'

그녀의 말과 표정은 종혁 본인의 추측이 맞았단 걸 증명해 주었다.

솔직히 추론을 했지만, 백 퍼센트 확신은 아니었다.

만에 하나, 수동적이라고는 해도 범죄에 가담할 의지가 0.01퍼센트라도 있었다면?

데이지도 처벌받아야 했다.

물론 자의가 아니라도 처벌을 받아야 하는 건 마찬가지다.

사람이 죽었다.

실형은 어쩔 수 없다.

자의였을 때보다 감형의 여지가 크다는 게 다를 뿐이다.

'어후. 진짜. 수고했다, 수고했어.'

끌려다닌 그녀도, 추리한 본인도.

모두 수고했다.

데이지의 부모가 그런 종혁의 손을 꼭 잡았다.

"제 막내딸을 구해 주셔서 정말 감사합니다."

"데이지가 잘못됐다면…… 흑!"

"정말 이 은혜를 어떻게 갚아야 할지."

"아닙니다. 응당 해야 할 일을 했을 뿐입니다."

'허.'

데이지의 부친은 종혁의 맑고 깊은 눈을 보며 감탄을 터트렸다.

"역시 슈퍼맨……."

"예?"

"이 은혜 조만간 꼭 갚도록 하겠습니다. 오늘은 정신이 없어서……."

"아, 예. 그럼요."

7개월 동안 실종됐다가 범죄에 휘말려 죽을 뻔한 딸을 구한 날이다. 그것도 눈에 넣어도 아프지 않다는 막내딸을.

"어서 집에 돌아가 데이지를 달래 주셔야죠. 두 분의 마음도 추스르시고요."

내일이면 데이지는 구치소에 들어가야 한다.

보호자가 있고 도망갈 의지가 없다 하여도, 강도 치사 사건이다 보니 어쩔 수 없다.

오늘의 귀가는 어디까지나 FBI의 배려다.

FBI는 데이지의 집 앞에 대기하다가 내일 그녀를 구치소로 데려갈 것이다.

"……감사합니다. 그럼."

"예. 예. 잘 가라, 데이지. 앞으로 남자 함부로 만나지 말고."

"안 그럴 거예요!"

종혁은 멀어지는 그들의 행복한 모습을 보며 담배를 껐다.

'보답은 무슨. 저게 보답이지.'

형사에게 가장 큰 보답은 피해자의 웃는 얼굴이었다.

'그나저나 캘리 반장과 아는 사이인가?'

슈퍼맨은 캘리 반장이 한 말이다.

딸을 알아보지 못한 걸 보면 그저 서로 이름만 아는 사이 같았다.

또각또각.

캘리 그레이스가 다가온다.

그녀는 아직도 의문인 얼굴이다.

"대체 이걸 어떻게 안 건가요?"

지난 10년 동안 이와 비슷한 사건은 극히 소수다.

스톡홀름 케이스는 많지만 감금 및 가스라이팅 후 범죄 가담 사건은 열 건. 굉장히 희귀한 케이스다.

"혹시 범죄학자인가요? 아니, 어려 보이니 석사?"

"그건 이분이고, 전 아까도 말했듯 경찰 간부후보입니다."

"경찰도 아니고, 간부후보? 오, 하느님."

"이번에 뉴욕에서 열리는 최첨단 범죄수사기법에 관한 포럼을 참관하기 위해 왔습니다."

"한국 대표로 온 건가?"

그렇다면 이해가 된다.

천재. 미래 한국 경찰을 이끌 인재다.

"아니요. 그냥 구경하러…… 하하."

"뭣? 발표도 안 한다고요?"

하고 싶은 마음은 있지만, 한국은 미국처럼 험하지 않다.

"포럼에 발표할 사건이 있다 한들 저 같은 학생이 발표할 수도 없죠."

캘리의 눈이 임성원 교수에게로 향한다.

그럼 당신이 발표하냐는 눈빛.

"한국엔 저보다 뛰어난 범죄학 교수들이 많습니다. 하하."

처음부터 그쪽을 공부한 타 대학 교수들.

학계를 주름잡는 이들이다.

그들과 비교하면 임성원 교수의 이름값은 처질 수밖에 없다.

포럼에 사비로 참가한 이유도 그와 같은 이유로 인해 초청을 받지 못해서다.

참관은 이쪽 관계자 전원에게 허락되지만, 발표와 질문은 초청받은 사람만 가능하다.

"말도 안 돼. 어떻게 당신 같은 사람들이……."

아까 전 임성원 교수가 납치에 대한 의견을 제시했을 땐 캘리도 뜨끔했다.

그녀도 같은 걸 떠올렸기 때문이다.

"뭐, 서로 노력하는 분야가 다른 거죠. 하하하."

그렇게 말하는 종혁이나 임성원 교수나 입맛이 조금 썼다.

자신 있게 발표하던 교수들이 부럽지 않았다면 거짓말이다.

발표가 아니라 다른 지성인과 질문과 대답을 하며 새로운 시각을 볼 수 있다는 점이 부러웠다.

그래도 의미 있는 데이터를 얻었으니 소득은 충분이 있었다.

오늘 무고한 생명을 구하기도 했으니 더더욱.

'하지만 다음엔!'

'흠. 하려도 해도 포럼에 발표할 만큼 희귀한 사건이 있으려나.'

임성원 교수와 종혁은 입맛을 다셨다.

그런 둘의 모습을 본 캘리는 눈을 가늘게 떴다.

다 설명하지 않았어도 단번에 이해되는 상황이다.

'순차에서 밀린다는 거겠지.'

그녀도 한국의 경찰대학교에 대해 알고 있다. 가끔 미국 경찰학교와도 교류를 나누기 때문이다.

수많은 걸 가르치고 배우지만, 학계의 일보다는 간부 육성에 중점을 두는 곳.

토의나 토론보단 사건 해결을 가르치는 게 우선이다.

그렇다 보니 학계에 영향력이 적을 수밖에 없다.

미국도 그런 성향이 강하다.

포럼 같은 곳을 가면 현장 관계자가 아니라 그 사건을 서면으로만 확인한 교수가 대다수다.

아이비리그 등 최상위 대학의 교수들.

이런 실력을 가진 인재가 두각을 드러내지 못하는 게 안타깝고, 어떤 소득조차 없이 구경만 하다 돌아간다는 게 안타깝다.

또 스카우트도 하고 싶다.

종혁을.

'아니지?'

그녀는 눈을 빛냈다.

오늘 받은 은혜를 조금이나마 갚을 길이 있다.

FBI 뉴욕지국 반장으로서의 인맥.

"미스터 최. 미스터 림."

종혁은 고개를 모로 기울였다.

"이번 케이스로 발표를 해 볼 생각 없나요?"

"넹?"

종혁은 뭔 헛소리를 하냐는 듯 캘리 그레이스를 봤다.

6장. 잘 부탁드립니다

잘 부탁드립니다

포럼이 열리는 뉴욕의 한 컨벤션 센터.

오늘도 관계자로 가득한 컨벤션 센터를 보며 종혁이 머리를 긁는다.

"교수님."

"안 한다, 안 해."

"아, 왜요!"

대다수가 믿지 않을 것이다.

천재의 출현이 아니라, 발표자 대신 나온 조수.

딱 그 정도로 생각할 거다.

그럴 바에는 임성원 교수가 발표하는 게 낫다.

학계 내 임성원 교수의 인지도도 끌어올리면서 앞으로 만들어질 두 사람의 수사 기법 채용에 힘을 실어 줄 수 있다.

다시 봐도 임성원 교수가 제격이다.

"스승이 돼서 제자가 해결한 사건을 가로채라고? 난 못한다."

"아니이!"

"아니는 반말이고, 인마."

임성원 교수는 푸근히 웃었다.

그도 본인이 발표하는 게 이득임을 안다.

하지만.

'이놈은 크게 될 놈이야. 길을 닦아 둬야 해.'

임용 후 승진 가도를 위한 길.

스승으로서 제자가 높은 곳으로 보다 빨리 갈 수 있는 기회를 열어 줘야 했다.

"종혁아."

"예."

"사건만 잘 해결한다고 해서 진급이 빨리 되는 게 아니야."

종혁은 그제야 임성원 교수의 마음을 알게 됐다.

'그런 거였나.'

"제가 정치를 못할 거라 생각하세요?"

임성원 교수는 피식 웃었다.

"수틀리면 받아 버릴 거잖아."

"……그건 맞죠."

경찰청장까지도 움직이는 그 조직.

회귀 전에도 진급에 목을 맸지만, 실적만으로는 쉽지 않았다.

그러나 그 조직을 쫓기 위해서는 반드시 진급을 해야만 한다.

불의와 타협하지 않아도 빠르게 진급할 수 있는 기회가 있다면 잡아야 했다.

'교수님 뜻이 그러시다면.'

임성원 교수는 불의와 타협하지 않고도 빠르게 진급할 수 있는 길을 알려 주고 있는 것이었다.

그런 뜻을 외면할 수 없었다.

"아쉽진 않으세요?"

소녀 팬인 그가 스타들 앞에서 발표할 수 있는 기회다.

"아쉽지 않다면 뭐 거짓말이겠지. 하지만 이게 맞아."

"……감사합니다."

"그래. 발표 잘하고."

임성원 교수가 두드리는 어깨서부터 따뜻한 온기가 퍼져 갔다.

'이런 분을 만나서 다행이다.'

"제자와 스승의 다정한 모습이 너무 보기 좋네요."

또각! 또각!

구둣발 소리가 들린다.

물러서는 사람들이 웅성거린다.

"설마 캘리 그레이스?"

"한때 FBI 뉴욕지국장과 승진을 놓고 다퉜다는?"

"현장이 좋다고 남은 여자잖아."

"맞아. 누군가는 현장의 소리를 위로 올려 줘야 한다고 했지."

'호? 그랬어?'

교수나 CSI 부국장 등 높은 관계자들이 그녀의 과거사에 대해 알고 있다.

그녀가 유명했단 소리고, 지금도 영향력이 크단 뜻이다.

'이 포럼에서 발표할 수 있는 이유가 이거였구나.'

종혁은 캘리를 다시 봤다.

"오셨어요? 기회를 주셔서 감사합니다."

"내 목과 데이지를 구해 준 은혜를 갚는 것뿐이에요. 뭐 이 정도는 일부에 지나지 않지만. 나머지를 기대해도 좋아요, 슈퍼맨."

"하하."

캘리는 종혁의 옷차림을 보고 눈을 빛냈다.

"아르마니죠?"

잿빛 슈트의 라인에서 아르마니 특유의 세련되면서도 중후한 냄새가 풍긴다.

그것도 기성품이 아니라 맞춤 제작이다.

'센스도 좋구나.'

이런 류의 행사에선 클래식이 옳다. 참가자 대다수가 나이가 많기 때문이다.

더해서 파텍필립으로 고급스러움과 재력을 뽐냈다.

어린 나이라고 얕보지 말라는 뜻을 돌려 표현한 거다.

웃음이 나올 정도로 당당했다.

종혁도 놀랐다.

'패션 스타일이 예사롭지 않다 싶더니…….'

솔직히 알아볼 줄 몰랐다.

기성품과 맞춤 제작은 라인이 꽤 다르기 때문이다.

"부모님의 배려 덕분입니다. 하하."

종혁은 어수룩하게 웃었지만, 받아들이는 캘리는 그렇지 못했다.

'정말 훌륭해.'

어제부터 깊이 느꼈지만, 능력부터 성품까지 어느 하나 빠지는 게 없다.

그녀는 결국 꾹 눌러 뒀던 욕심을 뱉어 냈다.

"최. FBI는 어떻게 생각하나요?"

"……예?"

* * *

임성원 교수가 종혁의 넥타이를 점검하며 입을 연다.

"종혁아, 넌 한국 경찰의 기둥이 될 거야. 학장님과 내가 그렇게 만들 거야."

뜬금없이 왜 이런 말을 하나 싶었던 종혁은 웃음을 터트렸다.

"하핫. 안 가요, 안 가."

"그렇지?"

"그럼요. 제가 한국 놔두고 어딜 가요."

'그 조직도 아직 못 잡았는데.'

그 이후라면 또 모른다.

하지만 지금은 먼 일이다. 아직은 생각할 때가 아니었다.

─일명 데이지 사건에 대한 발표가 시작될 예정입니다. 모두 박수로 발표자를 맞이해 주십시오.

"……파이팅."

"다녀오겠습니다."

숨을 깊게 들이마신 종혁은 단상에 올랐다.

"안녕하십니까. 한국에서 온 최종혁, 종혁 최입니다."

'어려!'

'십대?'

'저 어린 친구가 이 사건을 해결했다고?'

말도 안 된다.

차라리 캘리의 옆에 앉는 나이 든 동양인 임성원 교수라면 믿을 수 있었다.

웅성웅성.

종혁은 당황이 번지는 객석을 보며 씩 웃었다.

"그럼 감금 및 가스라이트 이펙트 후 범죄 가담. 일명 데이지 험프리 사건에 대한 발표를 시작하겠습니다."

따악!

손가락이 튕겨지며 뒤의 스크린에 사건의 개요가 뜨자 사람들은 입을 다물었다.

감금 후 가스라이트 이펙트.

그로 인한 범죄 가담.

그들 상식으로도 잘 이해되지 않는 까다롭고 희귀한 케

이스였다.

그들은 종혁의 발표에 집중했다.

그리고 곧 포럼의 발표장은 충격에 빠졌다.

발표가 끝나고 질의응답도 끝났지만, 일어서는 사람은 없었다.

감금 후 피해자의 범죄 가담에 새로운 시각이 제시됐기 때문이다.

'감금 후 가스라이트 이펙트로 인해 어쩔 수 없이 순종하는 경우는 있어도……'

범죄 가담으로 이어지는 건 극히 드물다.

아니, 감금 이전에 '납치'라는 선제 사건이 없다는 점 때문에 거의 처음이라고 할 수 있다.

미국에선 '납치 감금' 사건들이 제법 발생한다.

이렇듯 감금 이전에 납치라는 선제 사건이 벌어져야 한다.

이 피해자는 모두 범인의 집 안에서 발견되는데, 이유는 단순하다.

'범인이 피해자를 믿지 못하고 주위 이웃에게 들킬까봐 밖으로 내보내지 않기 때문이지.'

대부분 다락이나 지하에서 감금된 채 살아간다.

또 혹여 협박과 핍박으로 인해 범죄에 가담했다 한들 모두 범인의 집, 혹은 아지트에서 안에서만 이뤄진다.

피해자는 그러다 탈출하거나 구출된다.

'아님 사랑하며 살아가든가.'

스톡홀름 증후군의 대표적인 성향이다.

감금 후 피해자의 범죄 가담은 대부분이 이런 스톡홀름 증후군에 의해 발생된다.

그런데 데이지는 자기 발로 범인을 따라갔고, 범인과 함께 '밖'을 돌아다녔으며, 범죄에 '가담'했음에도 도망치지 않았다.

이번 케이스는 피해자와 범인 모두 그 심리 상태를 깊이 연구할 필요성이 짙은 사건이었다.

종혁도 바로 이 말을 마지막으로 발표를 끝냈고, 이 말 때문에 점심시간이 됐음에도 사람들이 일어나지 못하는 거다.

"허어. 이러면 정말 저 어린 친구가 사건을 해결한 건데."

종혁은 시종일관 당당했다.

질의응답에서도 막힘이 없었다.

누군가가 커리어를 만들어 주기 위해 대신 발표를 시켰다고는 생각할 수 없는 발표였다.

가능한가?

발표를 들었음에도 여전히 의문이었다.

하지만 인정할 건 인정해야 했다.

해결된 사건에 의문을 제시할 순 없었다.

"놀랍군. 동양, 아니, 한국의 수사 기법이 이 정도로 발전했다니……."

솔직히 충격이었다.

"아까 그 나이 든 동양인이 가르친 걸 거야. 캘리가 그를 교수라고 부르는 걸 들었어."

"교수?"

참석자들은 눈을 빛냈다.

교수라면 교류 신청서를 보낼 수 있다.

즉, 이 수사 기법에 대해 더 자세히 토론할 수 있는 거다.

'한국. 한국이랬지?'

세계에서 유명한 이들의 엉덩이가 들썩이기 시작했다.

한편, 발표장의 구석.

팔뚝에 털이 숭숭 난 중년인.

버지니아 주 랭리에서 날아온 CIA 동아시아관리팀의 팀장이 입술을 비튼다.

"놀랍군."

'이러면 정말 욕심이 나는데.'

스포츠 과학의 선구자에, 러시아 최고위층과 연관이 있을 거라 추정되는 종혁이다.

그런데 이런 능력까지 갖췄다.

욕심이 날 수밖에 없었다.

"이거 좀 더 적극적으로……."

"하지 마."

칼끝이 겨눠진 것처럼 뒷목이 서늘해진다.

팀장은 입술을 비틀었다.

"세르게이."

세르게이 세르게이비치.

그 나탈리아의 지휘 아래 전 세계를 휘젓고 다닌 냉전 마지막, KGB 마지막 세대의 스파이 중 한 명.

팀장이 현역이었을 시절, 세르게이에게 물을 먹은 적이 한두 번이 아니다.

"네가 이러면 내 추측에 더 힘이 실리는데 말이야."

최고위층과 연관이 있을 거라는 추정.

"미스터 최는 대체 누구와 연결이 되어 있는 거지? 설마……."

순간 한 명의 얼굴이 떠오른다.

러시아 새로운 수장의 얼굴이.

세르게이는 속으로 비릿하게 웃었다.

'역시 알아차리지 못했군.'

다행이었다.

그렇지 않아도 종혁이 두각을 드러내는 걸 막지 못해 크게 한 소리를 들었던 세르게이로서는 정말 다행이 아닐 수 없었다.

"흠. 네가 무슨 망상을 하든 상관없지만, 마더 러시아의 친구에게 수작을 부릴 생각은 하지 않았으면 좋겠군. 이건 오랜 악우로서 충고야."

"경고가 아니라?"

"그렇게 받아들여도 되고. 조심히 돌아가. 멀리는 안 나가지."

날카로운 기세가 멀어지자 팀장은 뒷목을 매만졌다.

끈적한 식은땀이 닦여 나왔다.

"쯧. 나도 늙었군."

적이 등 뒤에 다가오고 나서야 알아차렸다.

요원으로서 자격 미달, 아니, 자격 박탈이었다.

"그나저나…… 이러면 정말 포기할 수 없는데."

러시아가 이렇게까지 감싸고도는 인물이다.

그 능력도 범상치 않다.

종혁이 사라진 방향을 응시하던 팀장은 이내 의미심장하게 웃으며 일어섰다.

'보다 치밀한 준비가 필요하겠어.'

* * *

"넌 진짜……."

떨면 어쩌나, 버벅거리면 어쩌나 마음을 졸였는데 쓸데없는 걱정이었다. 영어로 유창하게 발표하던 모습은 오히려 배워야 할 수준이었다.

"아하하."

'이 나이 먹고 이 정도도 못하면 죽어야지.'

말실수만 해라 하는 표정으로 눈을 붉히고 귀를 활짝 연 기자들 앞에서 브리핑한 게 몇 번이던가. 사람이 많기는 했지만, 실수를 바라는 사람이 없어서 오히려 편한 발표였다.

또각또각!

"제 작은 보답이 마음에 들었는지 모르겠네요."

"나머지를 정중히 거부하고 싶을 만큼요."

그만큼 흡족한 발표였다.

이쪽 권위자들의 시각을 알 수 있었고, 수사 기법을 보다 더 다듬을 수 있게 됐다.

이번 미국행은 정말 오길 잘했다는 생각이 들었다.

캘리 그레이스는 만족하는 종혁을 보며 혀를 내둘렀다.

"한국인은 겸손하다더니 정말이군요."

"겸손도 상황에 따라 다르죠."

"호호. 위트도 있고."

'진짠데.'

종혁은 고개를 저었다.

"오! 여기 있었군요."

"어?"

종혁은 다가온 노인을 보곤 고개를 모로 기울였다.

"아, 안드레 교수님?!"

임성원 교수는 경악했다.

캘리 그레이스도 놀랐다.

안드레 교수는 미국 범죄학의 권위자였다.

"신사의 품격을 아는 당신을 한참 찾아다녔습니다."

서양에서 슈트는 곧 그 사람의 품격.

종혁의 나이에 이걸 이해하는 건 불가능에 가까운 일이었다.

사람을 많이 만나고 부딪치며 많은 것을 깨닫는 사십대가 되어야 겨우 아는 품격.

부모가 가르친대도 어린 나이라면 모르는 개념이다.

그런데 종혁은 클래식한 아르마니 맞춤 정장과 파텍필립 시계로 그 품격을 훌륭하게 나타냈다.

슈트에 죽고 사는 영국 출신인 안드레 교수로서는 기꺼울 수밖에 없었다.

"저를요?"

"예. 이 볼품 없는 늙은이보다 날카로운 시각을 가진 당신을요."

안드레 교수는 그렇게 말하며 임성원 교수를 힐끔 보았다.

'아아.'

단번에 상황을 파악한 종혁은 싱긋 웃었다.

안드레 교수는 종혁이 아닌 임성원 교수를 만나러 온 거다.

종혁을 가르쳤다고 판단되는 임성원 교수를.

종혁은 씩 웃었다.

"글쎄요. 이제 배우는 단계인 제가 학계 권위자이신 안드레 교수님과 무슨 이야기를 나눌 수 있을지 모르겠네요. 부족한 저보다는 여기 제 교수님과 더 유익한 대화를 나눌 수 있지 않을까요?"

"조, 종혁아!"

"오. 역시 동양인은 겸손하군요. 아닙니다. 전……."

"정말 무서워서 그러니 양해 부탁드립니다. 교수님, 전 두 분께서, 아니, 세 분께서 편히 이야기를 나눌 수 있는 곳을 수배할게요. 레스토랑이면 되겠죠?"

안드레 교수를 보는 캘리의 눈도 심상치 않았다.

얼른 자리를 피한 종혁은 뉴욕이 고향인 이리나에게 전화를 걸었다.

아니, 걸려고 했다.

띠리링! 띠리링!

"예, 최종혁입니다."

─혁! 너 대체 무슨 사고를 친 거야!

"……응?"

─신문에 떴어! 일탈한 미국 소녀를 구한 동양 경찰이라고!

"아, 그거?"

종혁은 사정을 대충 설명했고, 이리나는 혀를 내둘렀다.

그렇게 근처에서 편하게 이야기를 나눌 수 있는 식당을 추천받은 종혁은 임성원 교수에게로 향하려다 멈췄다.

핸드폰이 다시 울렸기 때문이다.

'누구지?'

"예, 최종혁입니다."

─Hello?

'어?'

데이지 험프리 부친의 목소리.

─오늘 시간이 된다면 당신을 초대해도 되겠습니까?

그렇게 한국으로 돌아갈 날이 점점 다가오고 있었다.

서울의 한 일식당.

정숙이 강요되는 듯한 분위기.

경찰대학교 학장 취임 이후 오랜만에 정장을 입은 최기룡 학장이 붉은 회 한 점을 집어 든다.

"교편 생활은 좀 어때?"

맞은편에 앉은 오십대 남성이 말을 툭 던진다.

금테 안경알 속 푸근히 웃는 눈이 비틀려 있다.

"여긴 마구로가 맛있어. 많이 들어."

"벌써부터 귀가 먹은 거야?"

"아, 좋지. 용인이라 조용하지, 공기 좋지, 애들 활발하지. 젊어지는 기분이야. 본청은 좀 어때? 난리도 아니라며?"

80년도 후반 전국을 뒤집은 대구의 햇빛복지원 사건.

현재 한국은 제2, 제3의 햇빛복지원 사건 때문에 난리가 난 상태였다.

뻐꾹새 마을, 대전 장애인 학교, 성화 마을 등.

검찰이 전국의 후원 단체들을 뒤집으며 줄줄이 끌려 나오기 시작했고, 국민들은 대한민국이 악마의 소굴이었다며 분개하고 있었다.

이에 관련 인사들의 목이 줄줄이 날아가고 있었다.

그중엔 본청 생활안전국장과 정보국장도 있었다.

범죄예방정책과와 생활질서과가 있는 생활안전국.

그리고 종교 단체나 보육 시설의 정보도 모으는 정보국.

눈앞의 장년인이 거쳤던 부서고, 지금도 그들과 긴밀한 관계를 맺고 있었다.

종혁이 쏘아 올린 공이 이런 결과를 만들게 되었다.

"아차. 지금은 강남서장이지?"

장년인은 청장 도전을 위해 강남경찰서를 택했다.

부들부들.

"……오도로가 맛있군."

"진짜 별미는 배꼽살이야. 여기 주방장이 기가 막히게 떠."

최기룡 학장은 지그시 내려다봤다.

지이잉. 지이잉.

"대화 중인데 핸드폰도 안 꺼 놓는 건 무슨 예의야?"

말이 한층 더 날카로워졌다.

"미안, 미안. 잠시만."

"그냥 받아. 혹시 알아? 뭔 사고가 터졌을지?"

'사고가 터지길 바라는 거겠지.'

코웃음을 친 최기룡은 전화를 받았다.

"어, 나야. 뭐? ……그-래?"

최기룡의 얼굴이 활짝 편다.

장년인은 불안해졌다.

"종혁이랑 어. 임 교수가 FBI를 도왔다고? 그래서 FBI 가 감사패를 줬다고?!"

'뭣? FBI?!'

뜬금없는 FBI.

하지만 아직 최기룡의 말은 끝나지 않았다.

"세계 유명 대학 범죄학 권위자들이 어, 교류 신청서를 넣었다고? 우리 경찰대에? 어, 그래. 그래, 알았어. 지금은 일 보는 중이니까 복귀하면 이야기하자고."

전화를 끊은 최기룡은 손을 저었다.

"미안. 우리 최씨의 자랑이 또 사고를 쳤다네. 어휴, 이놈. 포럼 참가하라고 미국에 보내 놨더니만 그새를 못 참고 또 사건을 해결하네."

"사건?"

"뭐라더라? 억울하게 휘말려 사살당할 뻔한 사람을 구했다던가? 그래서 FBI에서 쪽팔리지 않게 해 줘서 고맙다고 감사패를 줬다네."

"……그래?"

장년인은 별일 아닌 듯 대꾸했지만, 쥐고 있는 젓가락이 떨린다.

그러다 결국 내려놨다.

"쯧. 여기 별로군."

"오도로 맛있다며?"

장년인의 눈이 완전히 일그러진다.

"오도로 말곤 먹을 게 없어. 아, 맞아. 내 정신 좀 봐. 약속이 있는데 깜빡했군."

최기룡은 피식 웃었다.

"그래. 바쁠 텐데 어쩔 수 없지. 연예인들 때문이야?"

연예인은 언제나 경찰의 골칫거리인데, 그들이 몰려 사

는 곳도, 출몰하는 곳도 강남이다.

"미안. 다음엔 내가 초대할게."

드륵, 쾅!

문을 거칠게 연 장년인은 구두를 구겨 신으며 사라졌고, 최기룡은 문 옆에 선 채 당황하는 여종업원을 향해 손을 저었다.

"됐으니까 다른 방에 있는 애들 보고 넘어오라고 해 줘요. 아, 이거 새로 세팅해 주시고. 부탁합니다."

"네, 사장님."

여종업원이 정중히 문을 닫고 물러난 후 약간의 시간이 흘러 다시 문이 열렸다.

웅성웅성.

언제나 정숙한 일식당에 맞지 않는 소음을 일으키며 4명의 사람들이 들어온다.

경무인사기획관과 광수대 대장, 마약범죄수사대 대장, 그리고 특수범죄수사과 과장 김종두다.

광수대 대장이 힐끔 테이블을 본다.

"손님은 가셨습니까?"

"손님은 무슨."

주제도 모르고 청장에 도전하는 놈이다.

그래도 세력이 제법 커서 골치가 아플 뻔했는데, 종혁 덕분에 시원한 게 한 방, 아니, 두 방 먹였다.

"그리고 손님과 만난다 한들 자네들보다 우선일까. 아, 김 과장은 나랑 처음이지?"

"김종두입니다! 잘 부탁드리겠습니다!"

"알아, 알아. 체포의 스페셜 리스트를 모를 리 있나."

'종혁이와 깊은 관계를 맺고 있다지?'

그것만으로도 합격이다.

"뭐 해. 앉아, 앉아."

곧 화려한 한 상이 들어왔다.

방금 전 그들이 먹었던 점심 특선과는 차원이 다른 요리들.

최기룡은 그들에게 술을 따라 줬다.

"내가 자네들을 부른 건 다름이 아니라 대선 때문이야. 내년이면 대선 레이스 시작인 거 알지?"

대선 레이스와 함께 최기룡의 청장 레이스도 시작된다.

경쟁자는 없다시피 하지만, 어떤 이가 끼어들지 모른다.

사자는 사냥을 할 때 최선을 다하는 것처럼, 최기룡도 이번 청장 자리에 전력을 기울이기로 했다.

"일단 내년 첫 사건으로 스포츠 협회 비리면 어떨까 하는데, 자네들 생각은 어때?"

'종혁이 은사가 유도협회 임원이라지?'

그뿐만이 아니라 국가대표들을 신경 쓰는 종혁이다.

종혁에게 진 빚도 약간이나마 갚을 겸 싹 정리하는 것도 나쁘지 않을 것 같았다.

술을 받는 넷의 얼굴이 진중해졌다.

한편, 일식집을 나선 장년인은 어딘가로 전화를 걸었다.

"경찰대에 최종혁이란 놈이 있을 거야. 어, 유도 국대.

철수야 놀자 사건의 그놈. 그놈에 대해 알아봐.”

　전화를 끊은 장년인은 핸드폰을 높이 쳐들었다가 이내 내려놨다.

　“빌어먹을.”

＊　＊　＊

　험프리 부부의 초대는 마치 ‘미국 가정식은 이런 거다’라는 기준을 세울 만큼 훌륭했다.

　‘박영란법이 없어서 다행이지.’

　있었다면 큰일 날 뻔했다.

　데이지 험프리는 FBI가 탄원서를 쓰기로 해서 양형을 기대해도 좋을 듯싶었다.

　“흐음—!”

　인천공항을 빠져나온 임성원 교수가 숨을 깊게 들이마신다.

　“역시 뭐니 뭐니 해도 고향 공기가 최고야. 종혁아, 어떡할래? 사우나에 몸 푹 지지고 김치찌개에 한잔?”

　본래는 경찰대학교로 바로 복귀해야 하지만, FBI에게 감사패를 받은 공로로 특별 휴가를 받게 되었다.

　오늘이 목요일이니 일요일 저녁까지 복귀하면 됐다.

　미국에 있는 동안 느끼해졌던 목구멍을 씻기엔 충분한 시간이다.

　비록 지금이 새벽이라도 문을 여는 곳은 많았다.

하지만 종혁은 고개를 저었다.

"죄송해요. 일이 있어서요. 대신 토요일 어떠세요? 등산하고 파전에 막걸리 한잔."

"좋─지! 약속한 거다!"

"예, 조심히 들어가세요."

"그래. 너도 푹 쉬고."

임성원 교수가 떠나는 걸 본 종혁은 도로를 향해 손을 흔들었다.

"택시!"

고정숙은 왜인지 아침부터 우울했다.

의아해하던 그녀는 점심시간이 지나서야 이유를 깨달을 수 있었다.

'오늘이 벌써 그날이구나.'

갑자기 덩치가 컸던 곰 한 마리가 떠오른다.

그렇게 맹수 같으면서도 자신에겐 언제나 강아지였던 곰.

이젠 그 얼굴조차 흐릿해져 사진을 보지 않으면 떠올릴 수 없다는 게 더 서글프다.

"그러면 안 돼지."

다른 사람은 다 기억 못 해도 그녀 자신만은 기억해야 한다.

그 눈 내리는 겨울날 귤이 먹고 싶다는 한마디에 몸이 꽁꽁 얼어 가면서도 귤을 사 온 남편을.

그러면서도 이것밖에 구하지 못했다 미안해하던 남편을.

오늘은 그런 남편과의 결혼기념일이다.

고정숙은 고무장갑을 벗었다.

"철수 엄마."

"네, 사장님!"

"나 오늘 일이 있는 걸 깜빡했네. 나 없어도 잘할 수 있지?"

"……그럼요! 걱정 말고 일 보세요."

"고마워. 이 은혜는 갚을게."

"은혜는요! 그런 말 마세요!"

고맙다며 웃은 고정숙은 근처 슈퍼로 향했다.

오늘은 일 년에 딱 두 번 취하는 날 중 하루이다.

부스럭.

소주가 담긴 봉지를 흔들며 집에 들어온 그녀는 흠칫 놀랐다.

신발장에 종혁의 신발이 있다.

"아들? 아들 왔어?!"

얼른 신발을 벗은 그녀는 넓은 거실을 가로지르다 부엌에 다다랐을 때 피식 웃었다.

전기밥솥째 계란과 간장을 한가득 비벼 먹고 있는 아들.

배추김치에, 파김치에, 반찬도 한가득이다.

종혁은 숨을 거칠게 몰아쉬는 어머니를 향해 손을 들었다.

"자랑스러운 아들 왔습니다!"

고정숙의 입가가 꿈틀거린다.

"어쩐 일이야. 미국 다녀오면 바로 학교에 가야 한다지 않았어? 미국에선 별일 없었고?"

"숨 넘어가시겠어. 엄마는 어쩐 일이세요? 뭐 놓고 가신 거 있으세요?"

"……으응. 오늘은 몸 상태가 좀 안 좋아서 쉬려고."

그녀는 그렇게 말하며 슬그머니 봉지를 뒤로 숨겼다.

'왜 하필 오늘 왔을까.'

언제나 강한 모습만 보여 주고 싶은 아들.

이젠 주말밖에 못 보는 아들.

이번엔 미국에 가느라 주말에도 보지 못했다.

그래서 너무 반가웠지만, 마냥 기뻐할 수 없었다.

남편과의 사랑의 결실이기에 더.

"아파?! 어디? 병원 갈까?"

오늘이 무슨 날인지 알지만 그래도 심장이 덜컹 내려앉은 종혁이었다

"아냐. 그냥 소주 한잔 마시고 누워 있으면 돼. 언제까지 쉬는데? 내일 돌아가?"

"일요일까지 복귀하면 돼요. 정말 병원 안 가도 되겠어요?"

"그래? 그럼 내일 갈비찜 해 줄까?"

"……설마 식당에 내려와서 먹으라는?"

"두 번 하기 귀찮아."

"여사님, 저 여사님 아들입니다."

"시끄러워. 먹고 치우기나 해. 엄만 쉰다."

"네, 푹 쉬세요. 좀 있다가 안마해 드릴게요."

종혁은 끝까지 봉지를 숨기며 안방으로 들어가는 어머니를 가만히 응시했다.

'다행이다.'

늦지 않아서 다행이었다.

한편, 안방 문을 닫은 고정숙은 봉지를 내려놓곤 연애와 신혼 때 남편과 찍은 사진이 담긴 앨범과 보석함을 찾았다.

남편이 준 실가락지부터 경주에 놀러 갔다가 산 기념품 등 원래라면 결혼 예물까지 담겼어야 할 그녀의 보석함. 아니, 보물 상자.

매년 이날이면 꺼내던 것을 찾아 손을 뻗었던 그녀는 당황했다.

"어? 어디 갔지?"

달그락! 달그락!

그녀의 얼굴이 하얗게 변한다.

"분명 여기다 넣어 놨는데……."

발을 동동 구르던 그녀는 설마 작년에 보고 창고에 놔뒀나 싶어 다시 안방 문을 열고 나갔다.

"왜요? 무슨 일 있어요?"

"으응. 아냐. 찾을 게 있어서. 먹어."

"찾을 거? 이거?"

창고로 향하던 걸음을 멈춘 그녀의 눈에 붉은색 반지 케이스가 들어온다.

케이크와 꽃다발도 놓여 있지만, 그것만 눈에 들어온다.

"그, 그걸 네가 왜?"

종혁은 당황하는 어머니에게 손짓했다.

그의 심장이 두근두근 뛰었다.

"앉아 봐요."

고정숙은 뭔가에 홀린 듯 종혁의 맞은편에 앉았다.

"열어 보세요."

……달칵!

"……!"

종혁이 되찾아 온 이후 여전히 그대로 들어 있는 결혼 반지 두 개.

그런데 그 아래 다이아몬드가 두 개 더 있다.

종혁은 놀라 쳐다보는 어머니를 보며 머리를 긁었다.

"내일 금은방 가서 바꾸면 될 거예요. 원랜 내가 바꿀까 했는데, 엄마가 바꾸는 게 더 나을 것 같아서."

'비록 지금은 돈이 없어 다이아몬드가 가짜지만, 나중에 꼭 진짜로 해 줄게. 결혼해 줘서 고맙다, 정숙아! 여러분, 나 결혼합니다─!'

'와아아.'

새하얀 면사포를 썼던 그때로 되돌아간다.

양가 모두 반대했던 결혼이라 지인들만 모아서 했던 결혼식.

"……5캐럿이 뉘 집 애 이름도 아니고."

그날, 이 남자다, 비록 허풍선이지만 이 남자를 믿고

알콩달콩 잘 살아야겠다 생각했었다.

떨리는 눈으로 다이아몬드를 응시하던 고정숙은 눈가를 훔치며 안방으로 들어갔다.

"어, 엄마?"

종혁의 심장이 덜컥 내려앉았다.

하지만 이내.

부스럭!

고정숙은 봉지를 들고 나왔다.

"아들. 엄마랑 한잔할래?"

"……라면 끓일까?"

"케이크에 먹자. 소주 안주로 케이크가 좋아."

"그래?"

그렇게 두 모자의 밤이 시작되었다.

반지를 되찾아 왔던 그날보다 더 훈훈했다.

＊　＊　＊

낙엽이 떨어지는 가을과 겨울을 지나 다시 파릇한 새싹이 피는 봄이 되었다.

이렇게 2002년 새해를 맞이하면서 주위에 겹경사가 생겼다.

새해 벽두부터 유도협회 임원들이 쓸려 나가면서 신성일 감독이 유도협회 부협회장이 됐고, 강철선 검사는 형사부의 부장이 되었다.

―하, 진짜 죽을 것 같습니더. 고3은 원래 이렇니꺼?

현석이도 어느새 고3이 되었다.

그 조그만 놈이 어느새 자라 고3 지옥을 겪는다 생각하니 감회가 새로웠다.

―행님, 갱찰대도 잔디밭에서 기타 치고 술 마시고 그럽니꺼?

대학생의 로망인 잔디밭 술자리.

"그랬다간 벌점이지."

경찰대에서 그랬다간 대번에 벌점에 외출 금지다.

―그래요? 하, 씨 어쩌지?

"시끄러워. 그런 거 생각하지 말고 공부나 열심히 해. 경찰대 안 올 거야?"

―아부지가 법대 가라 카던데…….

"그것도 나쁘지 않고."

현석이 얼른 경찰대에 와서 뒤를 받쳐 줬으면 싶은 마음이 간절하지만, 검사나 변호사, 판사가 되어도 좋았다.

"네 미래니까 깊이 생각하고 결정해. 나처럼."

―……알겠습더. 머 시간은 아직 많이 남았으니 좀 더 고민해 보겠십니더. 하 씨, 다음 달이면 월드컵인데 응원도 못 하겠네.

2002년 한일 월드컵.

다음 달이면, 월드컵 시작이다.

―행님은 가서 응원할 거지예?

"나도 못 가."

-예? 와예?

"아니, 갈 수는 있으려나."

-……?

"종혁아-! 출발해야 돼!"

"끊는다. 다음에 또 통화하자."

-예, 들어가시이소!

전화를 끊은 종혁은 정복을 입은 채 버스들 앞에 서 있는 동기들에게 다가갔다.

잔뜩 들떠 있는 얼굴들.

"크! 드디어 우리도 현장 실습을 하는구나!"

오늘부터 3학년 1학기 정기 커리큘럼인 현장 실습 시작이었다.

오늘부터 약 한 달 반 동안 집에서 출근이다.

'난 어느 서로 배치되려나.'

종혁은 부디 좋은 곳이기를 기대했다.

* * *

부르릉.

갈림길이 나오자 버스들이 흩어진다.

강남, 강서, 강북, 송파 등.

"……8명은 여기서 내린다."

"아싸! 강남서다!"

"와 씨. 압구정!"

이제 3학년이 된 그들은 강남, 강북, 송파에서 내리는 동기들을 부러워했다. 특히 패션의 메카 압구정이 있는 강남경찰서를 가장 부러워했다.

그건 종혁도 마찬가지였다.

모든 경찰들이 본청 다음으로 가고 싶어 하는 곳, 강남경찰서.

지금도, 미래에도 마찬가지다.

그런 종혁이 내린 곳은 중부경찰서였다.

"이건 말도 안 돼. 왜 종혁이 네가 강남서가 아닌 거야?"

"맞아. 성적으로 끊는 거 아니었어?"

"올해부터 빽빽이로 바꼈나 보지."

어깨를 으쓱이는 종혁은 몰랐다.

강남서에 갔다가는 어떤 일을 겪을지 모르기에 최기룡이 바꿨다는 걸 말이다.

"하, 씨. 열나 재미없겠네."

'그럴 리가.'

종혁은 울상을 짓는 동기들을 보며 피식 웃었다.

서울역, 남대문, 동대문, 명동, 을지로, 충무로가 있는 중구의 중부경찰서.

'중부서가 재미없다고?'

중구는 밤낮 모두 버라이어티한 지역이다.

'그 생각이 언제까지 가나 보자.'

마음만 앞서는 애송이에겐 현장이 답이었다.

곧 호러란 말이 어울릴 만큼 익사이팅해질 테니 제대로

배울 터였다. 종혁은 동기들이 이번 실습에서 많은 걸 몸소 터득하길 바라는 마음에 입을 꾹 다물었다.

"어? 저분 아니야?"

후덕한 덩치의 오십대 중년인이 다가온다.

계급은 경감.

"경찰대?"

모두 재빨리 자세를 바로 했다.

종혁이 한 발 나섰다.

"차렷! 신고합니다. 생도 최종혁 외 7인은 2002년 5월 27일부로 중부경찰서에서 생활안전 현장 실습을 명받았습니다. 이에 신고합니다. 충성!"

"어이구. 어서들 와요. 오느라 수고 많았죠?"

푸근히 웃는 낯에 동기들의 긴장이 풀린다.

"생활안전과장 박춘득 경감이에요. 우리 과가 뭐 하는 곳인지는 다들 조사해서 알 테고……."

방범과 단속, 순찰과 계도가 주된 업무다.

"누가 밤에 할래요?"

밤낮 2교대의 근무.

둘 중 당연히 낮 근무가 백배 더 쉽다.

동기들이 머뭇거리자 종혁이 앞으로 나섰다.

"제가 야간 근무를 하겠습니다."

"오. 그래요?"

그동안 많은 경찰대 생도를 겪었지만, 야간 근무를 자청한 생도는 처음이다.

"엄청 힘들 텐데?"

"이왕 배울 거라면 어렵게 배우는 게 낫다고 생각합니다."

'허허, 이놈 봐라?'

박춘득이 눈을 빛낸다.

'기룡 형님이 왜 알아서 잘할 거라고 말했는지 알 것 같군.'

패기가 넘치는 게 아니다.

눈이 맑고 깊다.

단 한 점의 흥분조차 없다는 건 각오를 했다는 뜻이다.

이런 마음가짐이라면 환영이었다.

"그래요. 그러면……."

"저, 저도 하겠습니다!"

"저도!"

동기들 전원이 손을 든다.

어렵게 배우는 게 낫다.

종혁이 말했다면 진실이었다.

'그래. 힘든 만큼 더 많은 걸 배우겠지!'

동기들은 마음을 다잡았다.

그에 놀란 박춘득 과장은 피식 웃었다.

'수석이라더니 인망 있는 오야였구먼?'

"허헛. 따라와요. 우리 관할구역에 대해 알려 줄 테니까."

* * *

"꿍."

"으음."

외우는 것 하나는 자신 있는 경찰대 생도들이지만, 단 하루 만에 관할구역 내의 지리를 전부 외우는 건 무리였다.

하지만.

3학년들은 지도를 탁 덮으며 일어나는 종혁을 멍하니 바라봤다.

"어디 가? 화장실?"

시계를 보니 어느덧 세 시간이 지났다.

"대충 다 외워서 음료수 마시러."

"뭣?!"

"각 동 대표 랜드마크들을 기점으로 주변 지리를 외워 봐."

일종의 퍼즐 맞추기다.

그렇게 하면 빠르게 지리를 외울 수 있다.

이는 경험에서 우러나오는 노하우였다.

'뭐 서울 지리야 애초부터 다 알고 있지만.'

그럼에도 세 시간이나 잡아먹은 건 회귀 전과 현재의 기억을 비교하기 위해서였다.

미래엔 없어지는 상점이나 길을 말이다.

"……."

종혁은 멍해지는 동기들을 뒤로하며 건물을 빠져나갔다.

"헛둘! 헛둘!"

"으악! 으앗!"

경찰서 한구석에서 훈련을 하는 의경들.

당장 오늘 저녁부터 함께해야 할 이들이다.

종혁은 더워지기 시작하는 5월의 봄날, 긴 옷을 입은 채 구슬땀을 흘리는 의경들을 보며 혀를 찼다.

"니들이 고생이 많다."

꽃다운 나이에 끌려와 2년이 넘는 세월 동안 고생해야 하는 걸 보니 안쓰럽기 그지없다.

후룩.

그와 별개로 커피는 참 달았다.

"할 만해요?"

"아, 과장님."

박춘득이 다가와 자판기에 동전을 넣는다.

후룩.

"음. 역시 난 경찰서 자판기 커피가 제일 맛있더라."

"하하."

동감이었다.

세상에서 제일 맛있는 커피는 관할서 자판기 커피다.

"그런데 아까 들으니까 대충 외웠다고 하던데……."

"예. 오늘 야간 근무 때 순찰하면서 교차 검증하면 될 것 같습니다."

종혁은 그러며 수첩을 내밀었다.

"……미쳤네."

어느 건물을 기점으로 어느 골목이 어디로 향하는지 싹 다 적혀 있었다.

'이런 걸 할 줄 아는 놈이 고작 생도라고?'

보통 경찰서 생활을 한 지 1년 정도는 되어야 이해하는 암기법이다. 그것도 사수가 가르쳐 줄 때서야 대입하는 암기법.

그 이전에는 머리 터지도록 냅다 외우는 수밖에 없다.

알아서 잘할 거라는 최기룡의 말이 다시 머리를 스쳤다.

"최 생도."

"편히 불러 주십시오."

"그래요. 최 생도, 지금부터 뭐 할 거예요?"

"글쎄요……."

그러고 보니 시간이 많이 뜬다.

지금 시각이 오후 5시.

곧 저녁 식사 시간이라서 모텔 대실을 잡기도 애매했다.

"할 일 없으면 나랑 드라이브나 할래요?"

"과장님과요?"

"왜요, 늙은이라 싫은가?"

"그럴 리가요."

종혁은 씩 웃었다.

앞으로 한 달 반 동안 이곳에서 실습해야 된다.

오히려 바라던 일이었다.

"과장님만 아는 맛집도 알려 주실 거죠?"

"……으하핫!"

* * *

오후 5시의 북적한 거리.

경찰차가 느릿하게 나아가고, 종혁은 나가려면 갈아입어야 한다며 박춘득이 갈아입힌 옷을 만지작거렸다.

'오랜만에 입어 보네.'

경찰 정복이 아니라 흔히 말하는 경찰복.

푸른색 셔츠에 군청색 바지.

호루라기 등이 달린 형광색 조끼.

회귀 전, 순경 시절을 제외하면 입은 적이 없기에 낯설면서도 감회가 새롭다.

"우리 과가 생각보다 크죠?"

정신을 차린 종혁은 고개를 끄덕였다.

생활안전계, 생활질서계, 소년계.

한 과에 계가 무려 세 개다.

4층 경찰서에서 한 층의 반 이상을 이들이 쓰고 있었다.

솔직히 놀랐다.

회귀 전, 종혁은 생활안전과에 대해 그리 신경 쓰지 않았다.

방범 순찰이나 자율 방범대 관리를 하던 곳이라 영역이 겹치지 않아서다.

'죄다 내근만 해서 더욱 그랬지.'

초등학생 및 유치원생을 대상으로 한 범죄 예방 교육.

안 돼요, 싫어요, 가세요.

그 외 주택 방범창 지도나 안전 귀가 등.

범인의 검거보단 예방에 중점을 두는 과다.

현장과는 멀리 떨어져 있는 과.

경찰 조직 내 중요 업무에서도 떨어져 있는 과.

나중엔 그나마 메리트 있던 소년계가 여성청소년과로 따로 떨어져 나오면서 더 가길 꺼리는 한직이 된 생활안전과다.

누군가는 이들을 보고 계륵이라고도 부른다.

"이런 우리 과에서 가장 중요한 업무가 뭐라고 생각해요?"

"지도 단속이 아닐까 싶습니다만."

풍속 사범, 성매매, 총기류 관리나 불법 무기 관리 등을 지도 단속하는 것도 생활안전과다.

정확히는 생활안전과의 생활질서계.

생활안전과에서 그나마 현장과 가까운 곳이다.

"흠. 그래요?"

'아닌가?'

말투가 의미심장하다.

"아, 저기 있네."

누군가를 발견한 박춘득은 차를 세웠다.

한 경찰과 정장을 입은 누군가가 어딘가를 손가락질하며 말싸움을 벌이고 있다.

"아니, 여기가 아니라 저쪽에 세워야 한다니까요! 그래야 이 거리가 다 보인단 말입니다!"

"제가 보기엔 이곳이 더 좋고 생각됩니다만. 지나는 시민들에게 잘 보이지도 않고요."

"지금 그게 문제입니까?! 그러면 이쪽이 보이지 않잖습니까! 우리가 저 지점을 찾기 위해 몇 날 며칠을 연구했는지 알아요?"

"그래서 저렇게 다 보이는 곳에 세우면요? 시민들 민원을 감당하는 건 저흽니다만?"

"지금 구더기 무섭다고 장 못 담그는 겁니까?!"

"지금 시민을 구더기라고 한 겁니까?"

"……아오, 진짜!"

"뭐야, 무슨 일이야?"

"엇? 충성!"

경례를 받은 박춘득이 정장을 입은 삼십대 후반 사내를 봤다.

"더운 날 수고가 많으십니다, 김 주사님."

"예에……."

사내, 구청 공무원은 떨떠름한 표정을 지었다.

이전 담당자도 만나기 싫어했던 박춘득 과장이다.

그는 단호히 선을 긋기로 했다.

"아시겠지만, 예산 문제로 이 거리에 한 개 이상은 달 수 없습니다."

종혁은 그 말로 깨달았다.

'맞아. 방범용 CCTV도 이쪽 소관이었지.'

정확히 말하자면 방범용 등의 CCTV 설치 및 관리는 모두 구청 관할이다. 그러나 그중 '방범용 CCTV를 여기다 세워 주세요.'라고 협조를 요청하는 건 생활안전과다.

"압니다, 다 알아요. 그래도 이 사람 많은 곳에서 공무원들끼리 언성을 높이는 건 보기 좀 그렇잖아요?"

지나는 시민들의 시선이 꽤 오랫동안 머물러 있다 떨어진다.

"그, 그건······."

"날도 더운데 여기서 이러지 말고 우리 조용한 곳에서 이야기 나눕시다. 아, 저기 슈퍼 있네. 캔 커피?"

"아, 아니······."

"오케이. 시원한 캔 커피! 자, 갑시다!"

박춘득은 공무원의 손목을 잡아끌며 경찰에게 윙크를 했고, 경찰은 '아후으' 하는 소리와 함께 마른세수를 하며 뜨거워진 머리를 식혔다.

"진짜 벽창호 시발······ 음? 누구? 신입?"

"충성. 경찰대 생도 최종혁입니다."

"아. 벌써 그 시즌이구나. 반가워요. 생안과 김수용 경사입니다."

방금 전 목에 핏대를 세우며 화를 낸 사람과 동일 인물이라 생각할 수 없을 만큼 청량한 미소다.

"방금 전 많이 놀랐죠?"

종혁은 고개를 끄덕였다.

"하지만 너무 놀라지 말아요. 우리에겐 일상이니까."

"일상······ 말입니까?"

종혁의 미간이 찌푸려진다.

'방범용 CCTV가 얼마나 중요한지 알 텐데도 일상이라고?'

이건 문제가 있다.

구청 공무원도, 그리고 김수용 경사도.

이런 종혁의 기색을 읽은 김수용 경사는 싱긋 웃으며 따라오라 손짓을 했다.

뒤쪽 작은 공원 한구석에서 둘은 담배를 물었다.

"CCTV에 대해 어떻게 생각해요?"

"치안에 가장 중요한 물건이라 생각합니다."

미래에 연쇄 사건이 급감한 이유가 뭐였던가.

모두 CCTV와 블랙박스로 인해 범인을 빨리 추적할 수 있었던 덕분이다.

"오! 아는구나? 맞아요. 정말 중요한 물건이죠. 그런데……."

씁쓸히 웃은 김수용 경사는 담배를 깊게 빨았다.

"시민들은 그렇게 생각하지 않거든요."

"네? 아."

'맞아. 그런 시기지, 참.'

종혁도 씁쓸히 웃었다.

범죄 예방과 치안에 도움이 됨에도 국민들을 감시하냐며 반발하는 시기다. 미래엔 법령도 개정이 되고, 시민들의 의식도 많이 바뀌지만, 그래도 일각에선 여전히 CCTV를 곱게 바라보지 않았다.

"CCTV는 도시 경관을 해치는 시설물, 국민을 감시하기 위한 정부의 계략. 뭐 그렇게 생각하죠."

군사정권이 끝난 지 채 10년이 지나지 않았다.

치안을 위해서지만, 감시는 아직도 예민한 문제였다.

탈옥수 한상원을 검거하며 박영일 기자 등의 언론을 통해 CCTV의 필요성에 대해 강조를 했어도 이런 시선은 크게 바뀌지 않았다.

그래서 구청 공무원이 최대한 구석진 곳을 말한 것이다.

시민들이 반발하기에.

"그런데 우리 경찰은 그렇게 생각하면 안 되잖아요."

그렇게 말하는 김수용 경사의 눈이 단호하다.

'이 사람?'

종혁의 눈이 흔들렸다.

"그래서 연구하고 싸우신 겁니까?"

"그렇죠. 우리가 안 싸우면 시민들 안전은 누가 책임지는데요?"

이건 결코 물러설 수 없는 문제였다.

"아."

'그랬던가.'

김수용 경사에게 문제가 있는 게 아니었다.

구청 공무원도 마찬가지다.

김수용 경사는 국민의 안전과 치안을 위해 싸운 것이고, 구청 공무원은 행정부의 입장에서 싸운 거다.

한정된 예산을 사이에 둔 서로의 입장 차이.

'가끔 왜 저딴 곳에 CCTV가 있는지 짜증이 났는데…….'

이런 문제가 있었던 것이다.

그리고.

'방범 순찰만 중요한 게 아니었어.'

회귀 전, 연구다, 뭐다 내근이나 설렁설렁 하는 한직이라고 신경을 끌 것도 아니었다.

생활안전과에서 가장 중요한 업무는 바로 이 범죄 예방이었다.

현재가 아닌 미래의 치안, 보다 완벽한 치안을 위해 싸우는 이들의 이런 노력 덕분에 미래에 CCTV 보급화가 이뤄진 것이다.

이들도 경찰이다.

온갖 궂은일을 다 하면서도 영광 따윈 바라지 않고, 물밑에서 시민의 안전만을 바라는 진짜 경찰.

종혁은 크게 반성했다.

"앞으로 한 달 반……."

"음?"

"잘 부탁드립니다, 경사님."

김수용 경사는 진중한 눈빛에 '이것 봐라?' 하고 생각하며 재밌다는 듯 웃었다.

여태껏 생활안전계가 어떻게 돌아가는지 안 후, 잘 부탁한다고 말한 생도는 처음이었다.

드디어 간부, 아니, 예비 간부에게 인정을 받는 것 같아서 기분이 좋아졌다.

"CCTV 설치 위치를 어떻게 선정하는지 알려 줄까요?"

"감사합니다!"

어떤 이유, 어떤 장소에 CCTV를 설치하는지는 알고

있다.

하지만 제대로 배워 보고 싶었다.

이들의 일을 알아보고 싶었다.

"좋아요. 그럼 얼른 갈까요?"

"지금 가도 되겠습니까?"

박춘득이 구청 공무원을 구워삶고 있을 거다.

김수용 경사가 나타나면 어그러질 수 있었다.

"걱정 마세요. 과장님이라면 이미 설득을 끝냈을 테니까."

'그분이 그 정도라고?'

그냥 사람만 좋아 보이던 박춘득 과장.

종혁은 미심쩍어하면서도 김수용 경사의 뒤를 따랐다.

그리고 놀랐다.

"으하핫!

"끄응. ……하, 진짜."

'봐요. 진짜죠?'

종혁은 혀를 내둘렀다.

이 짧은 사이에 구청 공무원을 구워삶았다.

박춘득의 능력이 범상치 않았다.

"이 빚 꼭 청구할 겁니다."

"어이구, 협조할 일이 있으면 언제든 협조하겠습니다. 그럼 다음에 또 뵙겠습니다?"

"……쯧."

머리를 벅벅 긁은 구청 공무원은 차를 타고 떠났고, 박춘득은 다가오는 종혁을 보았다.

"최 생도, 아직도 그 생각엔 변함없어요?"

"절 왜 이곳에 데려와 주셨는지 이젠 알 것 같습니다. 죄송합니다."

종혁은 경찰대 간부후보생도다.

졸업 후 경찰 간부가 될 것이며, 높은 곳으로 향할 것이다.

박춘득은 그런 종혁에게 경찰 업무 중 중요하지 않은 건 없다는 걸 가르치는 것이었다.

'쪽팔리네.'

경찰 생활이 몇 년이던가.

부끄럽지 않을 수 없었다.

"그래요, 그거면 됐어요. 김 경사도 수고했고."

"아닙니다. 제가 마무리 지었어야 됐는데……."

"허헛. 구청 식구들 깐깐하게 어디 하루 이틀이야? 괜찮아."

더 나은 치안, 범죄 예방을 위해서라면 이보다 더한 일도 할 수 있다. 그게 생활안전과장인 그의 일이자 결심이었다.

"자, 그럼 복귀할까요?"

그들 셋은 경찰차로 향했다.

그 순간이었다.

치익!

무전기가 울었다.

─강도 사건 발생. 범인 을지로 5가에서 4가 방향으로
도주 중.

이후 범인의 인상착의가 빠르게 읊어진다.

눈이 동그래진 그들은 재빨리 경찰차에 올라탔다.

7장. 왜 우리만 가지고 그래요?

왜 우리만 가지고 그래요?

삐요옹!
경찰차가 빨갛고 파란불을 번쩍이며 달린다.
"상황실! 지금 어디야!"
−놓쳤습니다!
"뭐야?!"
−여기는 순마 34! 덕수중 앞에서 발견! 중구청 사거리
에서 묵정공원 방면으로 꺾었다!
묵정공원이면 바로 근처였다.
"꽉 잡아!"
박춘득이 핸들을 꺾으며 경찰차가 유턴했다.
끼기기기기!
빠아앙!
빵빵!

기겁하며 멈춘 차들이 클랙슨을 울리지만 박춘득은 비상 깜빡이만 켜 주곤 액셀을 더 강하게 밟았다.

부아아아앙!

"여기는 생안과! 묵정공원 동쪽! 순마 34! 어디야!"

─그쪽으로 갑니다!

"어디……."

여기저기서 무전이 터지는 급박한 상황.

종혁의 귀가 쫑긋 움직였다.

부다다다당!

경박한 배기음이 가까워진다.

고개를 돌린 종혁은 이제 막 옆 골목에서 대가리를 내미는 오토바이 한 대를 발견했다.

청재킷에 검은색 바지.

하얀 칼라 셔츠와 찢어진 청바지.

인상착의와 정확이 맞아떨어졌다.

"과장님, 두 시 방향입니다!"

종혁의 외침에, 종혁 쪽을 보며 놀라는 마스크를 쓴 범인 두 명이 기겁하며 핸들을 꺾어 인도에 올라탄다.

꺄악! 꺅!

사람들이 기겁하며 피하고 소위 씨티백이라 부르는 오토바이가 인도를 질주한다.

"저 개새끼들! 생안과 발견! 삼일빌딩, 충장 5가 사거리 쪽으로 도주 중!"

박춘득은 더 강하게 액셀을 밟았다.

그러며 무전기를 확성기 모드로 바꿨다.

"씨티백! 멈추세요!"

짭새 좆까-!

"……저 새끼들이?!"

종혁도 울컥한다.

'씨벌놈들이?'

─순마 28! 진양상가 사거리 삼일빌딩 방향으로 접근 중!

─순마 17! 진양사거리에서 남하 중!

다행이다.

이제 앞질러서 진양사거리 쪽으로 몰기만 하면 된다.

"충격에 대비해!"

부아아앙! 끼이익!

오토바이를 앞지른 박춘득이 인도 입구를 막았다.

그에 기겁한 범인이 브레이크를 잡았고, 종혁은 그와 동시에 틀어지는 핸들의 방향에 얼굴을 구겼다.

'빌어먹을!'

몰려고 하는 방향과 반대로 틀어진다.

여기서 놓쳐 충장로 5가 사거리에서 남쪽으로 향하면 어디로 빠져나갈지 몰랐다.

종혁은 아직 완전히 서지 않은 차의 보조석 문고리를 잡아당기며 열리는 문 사이로 발을 내디뎠다.

"최에 새앵도오 아지익 머엄추우지이……."

늘어진 노래 테이프처럼 늘어지는 박춘득의 부름.

무시하며 선 종혁은 눈이 점점 동그래지는 놈들을 향해, 정확히는 놈들의 멱살을 향해 양팔을 뻗어 잡아당겼다.

콰악! 콱!

"케헤에에엑!"

새된 비명과 강제로 끌어내려진 두 명이 회오리치듯 한 바퀴 돌다 번쩍 들리고, 주인을 잃어버린 오토바이는 경찰차의 꽁무니를 들이박고는 쓰러졌다.

끽! 탁탁!

다급히 경찰차에서 내린 박춘득과 김수용 경사는 한 손에 하나씩 남자 두 명을 대롱대롱 매달고 있는 종혁을 멍하니 바라봤다.

두 범인은 십대였다.

죄목은 오토바이 절도.

아니, 알아차리고 달려온 주인을 민 후 오토바이를 타고 도주했으니 준강도 사건이다.

몰려왔던 경찰들은 그럴 줄 알았다며 허탈하게 웃으며 돌아갔다. 보통 오토바이 절도가 발생돼 범인을 검거하면 50퍼센트 이상이 십대이기 때문이다.

스윽.

멍하니 종혁의 팔뚝에 손을 가져갔던 박춘득은 화들짝 놀라며 손을 뗐다.

"어흠. 보기보다 힘이 좋네요, 최 생도."

제아무리 힘이 장사라고 해도 여태껏 사람을 짐짝처럼

가볍게 드는 사람은 처음인 그였다.

"하하."

경기에선 한 손으로 140kg 거구를 넘긴 적도 많았다.

70kg 두 명 드는 것쯤이야 아무것도 아니었다.

"그럼 제가 뒤에 타겠습니다."

"어, 그건…….'"

범인과 같은 공간에 타는 건 연차가 쌓인 경찰의 몫이다.

신입은 발광하는 범인에게 다칠 수 있기 때문이다.

그래서 요새는 웬만하면 뒷좌석에 경찰이 동승하지 않는 추세였다.

하지만.

'얘를 어떻게 신입으로, 아니, 일개 생도로 봐?'

그 짧은 사이 오토바이를 걷어차거나 범인을 후려치는 게 아니라 범인들이 다치지 않는 방향으로 결정을 내린 종혁이다.

태워도 괜찮을 듯싶었다.

"그래요, 그럼."

"예!"

종혁은 얼른 뒷좌석에 올라탔고, 구시렁거리던 둘은 재빨리 입을 다물었다.

'시발. 시발.'

'진짜 좆또.'

평생을 살아도 하지 못할 경험에 심장이 벌렁거린다.

하지만 그보단 재수 없게 걸렸다는 게 더 열 받는 둘이었다.

부르릉!

차가 출발하자 종혁은 입술만 달싹이며 욕을 하는 둘을 귀엽다는 듯 쳐다봤다.

따아악!

"……느아악!"

딱밤을 맞고 괴로워하던 범인이 종혁을 째려봤다.

하지만.

"속으로라도 욕하지 마라."

착 가라앉은 목소리에 범인은 고개를 돌렸다.

'……'

그들의 침묵은 중부서에 도착할 때까지 이어졌다.

반항하기에는 너무 무서운 종혁이었다.

그렇게 경찰서에 도착하자 둘은 형사과로 넘겨졌다.

미성년자라 원래는 소년계에서 담당해야 되지만, 강도 사건 같은 강력 사건은 강력계 형사과 쪽 담당이었다.

"이놈의 자식들! 얼마나 간이 크면 대낮에 오토바이를 훔쳐? 따라와!"

"악! 아악! 아파요!"

종혁은 귀를 잡힌 채 멀어지는 두 범인을 향해 손을 흔들었다.

'CCTV가 이렇게 도움이 된다니까.'

상황통제실에서 CCTV 정보를 읽어 두 명의 도주 방향을 계속 추격해 준 덕분에 경찰들도 방향을 올바르게 잡을 수 있었다.

모두 CCTV의 힘이었다.

하지만 온전히 CCTV만으로 범인을 쫓지 못한 것이 아쉽기도 했다.

아직 CCTV가 보급화되지 않아서였다.

'그리고…….'

종혁은 담배를 문 채 이쪽으로 다가오는 박춘득을 봤다.

그가 상황통제실에 연락을 하자마자 그 콧대 높은 상황통제실이 움직였다.

그의 파워가 예상외란 뜻이었다.

'계급은 경감인데…….'

경위 다음 계급인 경감.

솔직히 고작 경감으로 과장을 맡는다는 것도 이해가 안된다.

경찰서 과장쯤 되려면 경감 다음인 경정 계급이어야 한다.

이런 종혁의 생각을 아는지 모르는지 다가온 박춘득이 종혁을 툭 쳤다.

"범인을 잡은, 아니, 현장을 겪은 소감이 어때요?"

"현장이요?"

'……그러네.'

본인의 옷차림을 본 종혁은 감회 어린 표정을 지었다.

"좋은데요?"

정말 기다렸었다.

이렇게 경찰복을 입고 범인을 검거할 날을 말이다.

비록 아직은 정식으로 경찰이 된 건 아니지만, 종혁은 가슴에 불이 훅 당겨지는 걸 느꼈다.

종혁의 입가에 진득한 미소가 피어올랐다.

"자, 그럼 커피 한잔 마시고 들어갑시다. 일해야죠! 아, 혹시 범죄자 잡았으니 오늘 일과가 끝난 거라 생각한 건 아니죠?"

"그럴 리가요."

오토바이를 훔친 강도 검거?

그저 긴 하루에 일어난 평범한 일일 뿐이다.

종혁은 둘과 함께 자판기를 향해 걸음을 옮겼다.

그리고 잠시 후.

"종혁아-! 다친 곳 없냐-!"

콰앙!

김종두 과장이 문을 박차며 난입했다.

종혁은 얼굴을 가렸다.

* * *

본청이 근처라 소식을 듣자마자 달려온 김종두 과장은 종혁의 몸 상태를 확인하곤 물러났다.

이후 방범 순찰 쪽 인원을 제외하고 모두가 퇴근한 생활안전계.

"와, 드디어 우리도 근무를 하는구나!"

"진짜 근무가 아니고 실습."

"누가 몰라?! 그래도 쥑이잖아!"

곧 있으면 할 저녁 방범 순찰 근무에 경찰대 3학년들이 흥분을 감추지 못한다.

종혁도 오랜만에 하는 순찰에 만반의 준비를 갖췄다.

어떤 사건이 터져도 이상하지 않는 게 저녁 근무다.

만리장성이 밤에 쌓인다지만, 강력 사건도 밤에 많이 터진다.

'월드컵이 한 달도 남지 않은 상태니 긴장을 놓으면 안 돼.'

대한민국 역사상 최고의 축제인 2002년 월드컵이다.

그것도 한국에서 열리는 월드컵이다 보니 회귀 전에도 이 즈음 범죄율이 급증했다.

긴장을 놓으면 안 됐다.

오늘은 경찰대 생도들이 온 첫날이라 늦게까지 남아 있던 박춘득은 그 모습을 보며 혀를 내둘렀다.

'그게 저 생도였구나.'

탈옥수 한상원 검거에 큰 공을 세운 대한민국 유도 영웅.

일본의 콧대를 누르며 일본과 과학수사 기술 교류를 하게 만든 경찰 예비 간부.

"어쩐지 힘이 좋더라니. 음?"

삐리릭, 틱!

갑자기 팩스가 울며 종이를 토해 낸다.

내용을 살핀 박춘득은 이마를 탁 쳤다.

"어이쿠야. 이게 오늘부터였나?"

박춘득은 불쌍하다는 듯 경찰대 생도들을 봤고, 종혁과 동기들은 그런 그의 눈빛에 고개를 모로 기울였다.

"집중 계도 기간?"

미성년자 집중 계도 및 유흥가 집중 단속 기간이다.

월드컵을 코앞에 두고 경찰이 거리 청소에 돌입했다.

동기들 사이로 혼란이 번져 갔다.

"나 아는 선배가 말하길 집중이란 말이 들어가서 좋은 적은 없었다던데……."

"진짜?"

경찰대 생도뿐만 아니라 경찰서 주차장에 정렬한 의경들과 생활질서계 경찰들의 낯빛도 어두워졌다.

그러나 종혁은 아니었다.

'좋은데?'

방범 순찰 업무가 뭐던가.

정해진 순찰 루트를 마냥 순찰하는 거다.

순찰하고 쉬는 걸 반복하는 지루한 업무.

그런데 지금은 아니다.

적극적으로 단속을 해야 된다.

유흥가 역시도.

'싹 쓸어버릴 수 있겠네.'

뽑아도 다시 그 자리에 자라나는 잡초.

눈에 뻔히 보여도 방치되는 잡초.

종혁은 남몰래 사납게 웃었다.

'거기다…….'

"밤의 거리에선 참 많은 사건이 일어납니다."

모두의 시선이 박춘득에게로 몰렸다.

"주취, 삑치기, 추행, 폭행 등 우리 경찰이 보지 못하는 사각에서 참 많은 범죄들이 일어납니다."

생도들의 표정이 굳는다.

종혁의 표정도 마찬가지다.

'이래서 CCTV가 필요하지.'

경찰이 보지 못하는 사각에서 일어난 범죄의 증거를 잡는 게 바로 CCTV다. 이 CCTV를 설치하기 위해선 국민들의 생각을 바꿔야 할 필요가 있었다.

오늘이 바로 그 두 번째 걸음이 될 것이다.

"이 점 깊이 유의해서 단속 및 방범 순찰을 진행해 주시길 바랍니다. 생도들도 각자 조에 위치했죠?"

"옛!"

"오케이! 출발!"

박춘득의 명령이 떨어지자 수백 명의 경찰 및 의경들이 거리로 향했다.

* * *

얼마 전 닷컴이 무너지면서 한국은 다시 한번 위기에

빠졌지만, 밤의 거리는 그런 적이 있었냐는 듯 불야성을 이루고 있었다.

우글우글.

"어머, 경찰 아저씨다."

"경찰 아저씨, 파이팅!"

이제 겨우 9시임에도 거나하게 취한 사람들.

여자들의 관심이 좋기도 하고, 그들의 자유로운 모습이 부럽기도 한 의경들이 얼굴을 굳히면서도 어깨를 편다.

"웬만하면 앞으로 나서지 마시지 말입니다."

"음?"

오늘 저녁에 배우며 외운 관내 방범용 CCTV 위치를 확인하며 걷던 종혁이 옆을 보았다.

"박 수경이라고 했죠?"

"수경 박정수. 말 편하게 하시지 말입니다."

군대로 치면 병장 계급인 수경.

종혁은 그를 보며 고개를 모로 기울였다.

'어디서 봤더라?'

아까 순찰조의 조장으로 소개받았을 때도 그랬지만, 분명 낯익은 얼굴이다.

"됐어요. 초면에 반말하는 취미는 없습니다."

20살에 의경이 됐어도 최소 22살이다.

종혁보다 나이가 많을 수도 있었다.

제아무리 의경이라도 어차피 민간인이 될 그들에게 반말을 하고 싶은 마음은 없었다.

박정수는 그런 종혁을 기이하다는 듯 봤다.

여태껏 그가 겪은 생도 중 존댓말을 하는 생도는 없었기 때문이다. 졸업 후 바로 의전경 부중대장이 되는 경찰대 생도들이기에 콧대가 높았다.

"그런데 아무것도 하지 말라는 말은 뭡니까?"

"……괜히 앞장서시다 다치시면 저희가 한 소리 듣지 말입니다."

종혁은 그제야 왜 날이 서 있나 이해했다.

'선배들이 꽤 저질렀나 보네.'

이해는 한다.

경찰 업무에 한없이 가까운 현장 실습이다.

경찰이 된 느낌에 신이 나서 주체할 수 없었을 거다.

하지만 그건 그거고, 이건 이거다.

"괜찮아요. 내가 다칠 일은 없으니까."

"그건 장담 못 하는……."

"박 경위님! 저기 안마방 보이는데 어떡하실 겁니까?"

"안마방?"

인솔자인 삼십대 초반 박 경위가 인상을 찌푸린다.

간판에 불이 꺼져 있는 안마방.

집중 단속 기간이라고 영업을 하지 않는 게 분명했다.

가 봤자 허탕만 칠 것이다.

하지만.

'아까 본청 특수의 김 과장님이 애를 보러 왔었지?'

신설된 지 몇 년 되지 않았는데도 광역수사대와 격을

나란히 하는 특수범죄수사대.

현대 경찰이라면 누구나 노리는 꿈의 일터다.

처음엔 종혁이 김종두 과장의 아들인 줄 알았다.

박 경위는 눈을 빛냈다.

"흠. 뭐 그래. 문은 닫았겠지만, 후배님도 곧 경찰이 되면 겪게 될 곳이니 입구가 어떻게 생겼는지 먼저 보는 것도 좋겠지."

종혁은 단정하는 그를 보며 의미심장하게 웃었다.

'과연 그럴까요.'

"다 후배님이 뛰어나다고 해서 보여 주는 거야."

"감사합니다!"

누가 정말 감사할지는 두고 볼 일이었다.

그렇게 그들은 불이 꺼진 안마방으로 향했다.

뚜벅뚜벅.

센서 등이 켜지며 안마방이란 글자가 드러난다.

"다른 곳이랑 느낌이 좀 다르지? 왠지 음습하고 뜨겁고."

"하하."

박 경위는 문 손잡이를 잡고 흔들었다.

덜컹덜컹!

"봐. 역시 문 닫았잖아."

박정수 수경과 다른 의경들은 헛걸음할 줄 알았다며 얼굴을 일그러트린다.

"원래 이런 시기엔…… 후배님, 뭐 해?"

"잠시."

유리문에 귀를 가져다 댄 종혁은 피식 웃었다.

'내 이럴 줄 알았지.'

"경위님, 여기에 귀를 대 보시겠습니까?"

"……쯔읏."

혀를 차며 귀를 댄 박 경위의 낯빛이 딱딱하게 굳었다.

하웅! 항!

문 너머 숨 막히는 고요함 속에 미세하게 신음 소리가 섞여 있다.

종혁은 당황하는 박 경위를 보며 씩 웃었다.

"비키십쇼. 다치십니다."

종혁은 얼떨떨 물러나는 박 경위를 대신해 문 앞에 섰다.

그리고 유리문을 향해 발을 내질렀다.

꽈아앙!

……갸우뚱!

산산이 부서진 유리문이 뒤로 넘어가며 작은 스탠드 불빛 아래 모여 있던 이들의 기겁하는 얼굴이 보인다.

안쪽에서 들렸던 신음 소리도 멎었다.

하지만.

느껴지는 기척이 한두 개가 아니다.

종혁은 씩 웃었다.

'어이쿠, 노다지네.'

"수고하십니다. 불법 성매매 단속 나왔습니다. 선배님, 증거 확보하셔야죠?"

"아! 의경들!"

"옛!"

안마방이 집중 단속 기간이라고 영업을 안 한다?

개소리다.

손님을 마구잡이로 받을 수 없으면 회원제로 운영하는 곳이 안마방이다.

월드컵 전 집중 단속 기간, 중부서 관할구역에 유흥가 심리를 꿰뚫고 있는 저승사자가 강림하는 순간이었다.

* * *

이날 저녁 9시부터 새벽 5시까지 종혁은 안마방과 마사지 총 12곳에서 불법 성매매한 86명과 업자 및 직원 36명을 검거했고, 24개 술집과 만화방, 당구장, DVD방에서 미성년자 232명을 계도했다.

DVD방에서 성관계를 맺던 성인들도 검거했다.

"제발 한 번만! 한 번만 봐주세요!"

"아 씨, 그거 한 번 했다고!"

"왜 우리한테만 이러는데! 우리만 했어? 어?!"

"조용히 해요! 조용히!"

도떼기시장이 펼쳐진 중부서.

"……."

박춘득이 어이없다는 듯 웃는다.

방범 순찰을 보내 놨더니 강력계 두 개 팀의 하루 실적을 올려 버렸다.

"형님! 이거 너무한 거 아닙니까?!"

형사4팀의 베테랑, 사십대의 박 경장이 씩씩거리며 다가온다.

뒤에 형사 몇 명이 못마땅한 모습을 보이는 걸 보니 박 경장이 대표로 나선 듯했다.

중부서에서 소문이 안 좋은 형사들이다.

"······뭐가?"

"아니, 남자가 바깥일 하다 보면 어? 안마방도 갈 수 있고. 그런데 그걸 죄다 잡아들이면 우리 업무가 마비되잖습니까! 이 새벽에 이게 무슨 짓입니까!"

박춘득의 표정이 딱딱하게 굳었다.

"박 경장, 돈 먹었냐?"

"뭐요?! 이 사람이!"

"그럼 왜 불법 성매매한 놈들을 감싸는데?"

"······아오! 진짜 말이 안 통해서 원! 아, 저놈이죠? 저놈이 이 사고를 친 거죠?"

"아, 최 생도는······."

"어이, 야!"

박 경장은 박춘득이 말릴 틈도 없이 종혁의 앞에 섰다.

종혁은 얼굴이 빨간 박 경장을 의아한 눈으로 봤다.

"야, 니가 지금 무슨 짓을 저질렀는지 알아?!"

칭찬을 해도 모자랄 상황에 화를 낸다.

이 새벽에 불려 왔으니 짜증은 낼 수 있다.

하지만 이렇게 침 튀기며 화를 낼 정도는 아니다.

종혁은 단번에 상황을 파악했다.

"돈 먹었습니까?"

"……뭐? 이 어린놈의 새끼가!"

덥석!

박 경장이 종혁의 멱살을 잡아 민다.

그걸 버틴 종혁은 박 경장을 무심히 봤다.

'맞네. 돈 먹은 거.'

그렇다면 같은 식구가 아니다.

주위를 둘러본 종혁은 목소리를 낮췄다.

"어이, 견찰. 본청과 언론에 아는 분 계시는데 이거에 대해 씨불여 볼까? 어?"

움찔!

"뭐, 뭣?"

"대가리 안 돌아가? 일개 생도가 뭔 깡으로 안마방을 건드렸을까 하는 생각은 못 해?"

안마방 중엔 조폭과 연관된 곳들이 많다.

조사 결과가 나와 봐야 알 테지만, 중구 쪽 조직들과 얽혀 있는 안마방도 나올 거다.

"이, 이 어린놈의 새끼가…….."

볼이 분노로 푸들푸들 떨리지만, 손아귀의 힘이 빠진다.

"내가 작정하고 털면 어디까지 털 것 같냐? 그때도 그 잘난 계급이 지켜 줄 수 있을까?"

"…….."

스르륵.

결국 박 경장의 손이 풀린다.

종혁은 잡힌 곳을 툭툭 털었다.

"똥줄 타게 된 건 알겠지만, 함부로 짖지 맙시다. 아, 그런데 이럴 시간 있어요? 증거 안 지우십니까?"

"너, 너! ……다음에 이야기해! 알았어?!"

'지랄.'

종혁은 멀어지는 박 경장을 응시하다 돌아서며 핸드폰을 꺼내 들었다.

너무 늦은 시각이지만, 받아 줄 거라 생각했다.

그런데 그걸 박춘득이 막았다.

"어떤 분에게 연락하려고요? 김 과장?"

종혁은 박춘득이 잡은 핸드폰을 봤다가 다시 그를 응시했다.

"저 막으시려고요?"

"생도가 벌써부터 식구 밥그릇 건드리면 안 좋아요."

종혁의 눈이 샐쭉해졌다.

'설마 이 사람도?'

"그런 건 곧 퇴직할 뒷방 늙은이가 해야죠."

"……?"

박춘득이 핸드폰을 들었다.

뚜르르 뚜르르.

발신음이 조용한 복도를 울렸다.

달칵!

"어, 윤 과장. 나야, 중부서 박 과장. 새벽부터 전화해서 미안한데, 우리 식구 칼질 좀 할 수 있을까?"

"……!"

"응, 강력계. 소문이 안 좋은 것도 있는데, 오늘 서가 뒤집어져서 증거 모으기 편할 거야. 기회지. 그래, 부탁할게."

전화를 끊은 박춘득이 종혁을 보며 싱긋 웃었다.

"앞길이 구만 리인 최 생도인데 벌써부터 같은 식구들에게 미움받으면 안 좋아요."

전국에 수많은 경찰들이 있지만, 이런 소식은 번개보다 빨리 퍼진다. 경찰 조직도 참 좁은 세상이다.

"……왜 이렇게 해 주시는 겁니까?"

박춘득은 그가 사용할 수 있는 패 중 하나를 써 버렸다.

더욱이 감찰 쪽이면, 후에 혹시라도 있을지 모를 누명 같은 일을 비켜 갈 수 있는 강력한 패다.

그걸 만난 지 이틀도 되지 않은 생도를 위해 쓴 거다.

종혁은 이해가 되지 않았다.

"음. 그 대답에 앞서 질문 두 개만 해도 될까요?"

"……예."

"오늘 왜 그렇게 폭주한 거예요? 영리한 최 생도가 생각 없이 이런 일을 벌였을 거라곤 생각지 않는데."

종혁이 혈기만 넘쳤다면, 한상원을 직접 잡으려 들었을 거다.

종혁은 눈을 가늘게 떴다.

'말할까? 그래, 말하자.'

말해도 상관없는 문제다.

아니, 어쩌면 박춘득의 지지를 얻을 수도 있다.

"CCTV 설치 의무화를 위해섭니다."

"······?"

"집중 단속 기간 시작인 오늘, 이렇게 많은 범죄자가 잡혔습니다. 주민등록증을 위조해 들어온 미성년자 때문에 일반 업주들도 피해를 보겠죠."

미필적이든 고의적이든 업주들도 피해를 본다.

"또한 이렇게 단속을 했음에도 아직까지 경찰의 시야가 닿지 않은 곳에선 범죄가 일어납니다."

"그래서요?"

"이게 공론화되면 어떨까요?"

"······!"

박춘득은 눈을 부릅떴다.

"최소 세 개 이상의 대형 신문사들이 중부서의 실적을 계속 발표하면서 사각의 범죄를 집중 단속 기간 내내 다룬다면요?"

그러면서 CCTV의 필요성을 흘리는 거다.

"그, 그게 가능하다는 겁니까?"

"두 번째 질문이십니까?"

"최 생도!"

"농담입니다."

"끄응."

"결론만 말하면 가능합니다. 언론 쪽에 친한 지인들이 계시거든요."

그들이 이틀만 기사를 내보내도 중부서 실적에 배 아파할 다른 경찰서들도 기자들의 옆구리를 쿡쿡 찌를 것이다.

온 국민의 축제 2002년 월드컵.

한국을 찾을 관광객들에게 부끄럽지 않을, 깨끗하고 안전한 대한민국 만들기다.

이걸 기사로 다루지 않을 기자는 없다고 봐야 했다.

"허어……."

'이렇게 쉬운 일이었다고?'

그동안 CCTV 보급화를 위해 애써 왔던 박춘득은 허탈해졌다.

하지만 그래서 소름이 돋았다.

'이걸 이렇게 쉽게 계획해 내다니!'

"대체 정체가 뭡니까, 최 생도?"

종혁은 그냥 일개 생도가 아니다.

분명 모르는 무언가가 있다.

'아님 천재를 넘어선 천재든지!'

경찰로서의 본능이 고개를 들었다.

"두 번째 질문이세요?"

"……끙. 좋습니다. 왜 그렇게까지 하려는 겁니까?"

원래 하려던 질문과 다른 질문이다.

"정말 필요해 보여서요."

CCTV의 보급화는 종혁도 원래부터 세웠던 계획이다.

만날 사각으로, 어둠 속으로, 수면 밑으로 사라지는 그 조직을 쫓기 위해 미래보다 더 촘촘하게 CCTV를 깔아 놓을 필요가 있었다.

범죄를 저지르고 사라지는 범죄자 문제도 있다.

'그리고 곧 벌어질 그 사건의 단서를 얻기 위해서도 필요해!'

광화문과 서울광장에 수백만 인파가 몰렸음에도 성공리에 월드컵 시즌을 마치면서 중구의 모든 경찰서는 엄청난 명예를 얻지만, 그로부터 며칠 지나지 않아 그 명예가 똥통에 처박히는 사건이 발생한다.

이것은 이후 경찰 전체의 문제로 번진다.

시간이 많이 흘렀음에도 범인을 잡지 못해서다.

범인이 잠적했다면 변명거리라도 있을 텐데, 계속 범행을 저질렀다는 게 문제가 됐다.

그 사건을 막기 위해서다.

능숙했던 놈들의 모습을 보면 경찰이 처음 사건을 인지하기 전부터 범행을 저질렀을 게 분명했다.

'일단 중구만이라도 CCTV로 도배를 해야 돼.'

"음, 알겠습니다."

종혁의 강인한 눈을 본 박춘득은 고개를 끄덕였다.

'우리 경찰이 보배를 얻었구나.'

가슴이 뻐근해질 만큼 뿌듯해졌다.

애당초 곧 간부가 될, 그것도 탄탄대로를 걸을 확률이

높은 종혁이 CCTV와 생활안전과 업무에 관심을 가져 주니 간부가 돼서도 잘 지켜봐 달라는 의미에서 도움을 주려고 했다.

지금도 축소시키려 안달인 생활안전과.

한 사람의 관심이라도 더 필요했다.

여기에 존경하는 선배인 최기룡의 부탁도 있었다.

종혁의 어깨를 툭툭 친 박춘득은 멀어졌고, 종혁은 그런 그를 보며 고개를 모로 기울였다.

왠지 찝찝했다.

"아차."

종혁은 권아영에게 전화를 걸었다.

지시할 일이 있었다.

* * *

중부서, 사고를 치다!

어젯밤 검거율 1위 중부서!

집중 단속 기간! 중부서 범죄와의 전쟁 선포!

용산경찰서! 치안 확립에 앞장서겠다!

불량 십대에게 당한 사장님들! 억울하다!

CCTV, 치안에 필수불가결!

조간신문이 포문을 열더니, 석간신문에선 포화가 쏟아졌다.

삼 일쯤은 지나야 다른 경찰서에서 반응이 올 거라 생각했는데, 고작 몇 시간 만에 전국 경찰서가 움직였다.

"이거 박영일 기자님께 선물이라도 보내야겠는데?"

모두 박영일과 그의 동료 기자들이 기사를 맛깔나게 써 준 덕분이다.

보다 안전한 대한민국을 위해 부탁을 허락한 거겠지만, 그래도 감사 인사는 필요했다.

"오늘은 내가 더 잡는다."

"아니야. 내가 2등이야."

"어? 1등은?"

야간 근무를 자청한 생도들의 뜨겁게 타오르는 눈이 종혁에게로 모인다.

종혁은 피식 웃었다.

"내가 알려 준 건 다 숙지했지?"

"어!"

"당연하지!"

종혁은 동기들에게 어젯밤 어떻게 그런 실적을 올릴 수 있었는지에 노하우를 모두 알려 줬다.

'경찰들을 믿고 맡길 수도 있지만…….'

오늘부터 경찰이 대거 합류하기로 했다.

물 저을 때 노 저으라고, 서장의 특별 지시였다.

'마냥 믿을 순 없지.'

슬픈 일이지만, 오늘 합류할 형사들 가운데 업소 뒤를 봐주는 이들이 있을 수 있다.

그런 형사의 부탁을 받은 다른 경찰이 있을 수도 있다.

하지만 성적에 눈이 팔린 생도들에겐 그런 게 없다.

이번 현장 실습 결과가 곧 기말고사 성적이다.

합류한 경찰들이 말려도 불도저처럼 돌진할 터였다.

만약 그 경찰들이 동기들을 말린다면, 현재 비밀리에 진행되는 내사 목록에 이름을 올리는 거다.

계획에 빈틈은 없었다.

"당부 사항은 어제 다 말했으니 할 말 없고…… 자, 그럼 출발합시다."

어제보다 늘어난 병력이 경찰서를 빠져나간다.

'다들 생각보다 얼굴이 밝네.'

서장, 아니, 경찰청장의 명령에 의해 고삐가 풀렸다.

검거하는 숫자만큼 실적이다.

실적에 죽고 사는 경찰들은 눈을 붉힐 수밖에 없었다.

"어젠 죄송했지 말입니다."

"아, 박 수경. 괜찮아요. 다 절 위해서 한 말이잖아요."

"……감사합니다. 오늘도 잘 부탁드리지 말입니다."

박 수경은 확 밝아진 얼굴로 물러났다. 박 수경뿐만 아니라 다른 의경들의 얼굴도 밝았다.

들기로 의경들도 월드컵 시즌이 끝나면 보상으로 특별 휴가가 있을 거라고 했다.

"모두 이렇게 의욕적이니 참 보기 좋아요."

"과장님?"

종혁은 눈을 껌뻑였다.

박춘득이 어제와 달리 경찰 조끼를 입고 있다.

"오늘은 내가 인솔할까 하는데 괜찮겠어요?"

"예? 어, 네. 그럼요."

박춘득 과장이라면 편하다.

베테랑 경찰에다가 종혁에게 호의를 가지고 있으니 어떤 행동을 하든 간에 제동을 걸진 않을 테니 말이다.

"저야 괜찮지만, 과장님께선 괜찮으시겠어요?"

"저 아직 현역입니다, 최 생도."

그러며 드미는 알통이 제법 굵직하다.

종혁은 고개를 끄덕였다.

"경광봉은 제가 들겠습니다."

"고마워요. 그럼 출발할까요?"

"옙!"

그들도 경찰서를 벗어났다.

순찰 코스는 어제와 비슷하면서도 달랐다.

골목까지 살피라는 서장의 명령 때문에 범위가 어제보다 더 넓어졌다.

"이야, 이게 얼마만의 저녁 순찰인지. 음, 공기 좋고."

정말 오랜만에 야간 순찰을 나온 듯 박춘득의 낯빛이 밝다.

"어디부터 갈까요, 최 생도?"

"제, 제게 맡기신다고요?"

"어젯밤의 주역인데 적극 따라야죠."

"……하하."

정말 그래 준다면 갈 곳은 정해져 있다.

종혁은 한 곳을 가리켰다.

"저기요."

어젯밤 첫 포문을 연 안마방.

"저기부터 들르시죠."

"……흐음?"

의미심장하게 웃은 박춘득은 고개를 끄덕였고, 그들은 다시 안마방을 올랐다.

뚜벅뚜벅!

새 걸로 교체된 유리문.

슬쩍 밀어 보니 역시나 잠겨 있다.

귀를 댄 종혁은 피식 웃었다.

"이럴 줄 알았지."

오늘 아침 벌금을 맞고 풀려난 안마방 업주와 직원들.

도우미와 맹인 안마사도 오늘 아침에 함께 귀가했다.

그런 그들이 다시 영업을 안 한다?

한 번 걸렸다고?

'신박한 개소리지.'

벌금을 보충하기 위해서라도 다시 문을 열 그들이다.

한번 걸렸으니 다시 경찰이 안 올 거라 생각하며.

이렇게 안마방이라 적힌 검은색 유리문이 그 증거였다.

"과장님, 잠시 뒤로."

"괜찮아요?"

"구두라서 괜찮습니다."

그렇게 말한 종혁은 어제처럼 유리문을 발로 후려쳤다.

꽈아앙!

어제처럼 다시 부서진 유리문.

종혁은 이쪽을 멍하니 바라보는 업주를 향해 싱긋 웃었다.

"수고하십니다. 불법 성매매 단속 나왔습니다."

"……우리한테 대체 왜 이러세요."

'걱정 마. 너희한테만 이러는 거 아니니까.'

종혁의 미소는 더욱 짙어졌고, 업주는 얼굴을 구겼다.

'씨발. 내가 CCTV인지 뭔지 꼭 달고 만다! 저 새끼 오는지 안 오는지 감시하게!'

업장을 접을 생각이 없는 그는 몰랐다.

CCTV를 설치한다고 해도 피할 방법은 없다는 걸 말이다.

종혁은 아무 의심도 받지 않은 채 들어올 방법을 알고 있었다.

* * *

어젯밤 검거됐던 안마방 중 90퍼센트가 재검거됐다.

"또 열어 봐. 나 너희 찍었다."

"……."

죽일 듯 노려보던 업주는 슬그머니 시선을 피했다.

종혁은 인계하러 온 형사들에게 음료수 한 박스와 빵 같은 것들이 한가득 든 봉지를 내밀었다.

"늦은 밤까지 수고 많으십니다."

"어이구, 생도가 무슨 돈이 있어서 이런 걸 사."

그렇게 말하지만 형사들의 얼굴이 활짝 폈다.

"당연한 일을 하는 거니까 앞으론 이러지 마. 그럼 수고해."

"수고하십시오. 충성!"

종혁은 경찰 승합차에 몰려 타는 업주들을 보며 담배를 물었다.

우울한 표정으로 부축을 받아 오르는 맹인 안마사들.

손님 한 명당 오백 원, 천 원.

월급 따윈 없다.

하루 꼬박 일해도 만 원을 채 쥐지 못한다.

그럼에도 그들이 안마방을 택할 수밖에 없는 건, 불법임을 알면서도 택하는 건, 누구도 그들을 써 주지 않기 때문이다.

종혁은 핸드폰을 들었다.

"나야, 형. 자요?"

태릉 피트니스의 서울 총괄 매니저다.

-이게 누구야! 아직 안 자! 무슨 일이야?

종혁은 사정을 간단히 설명했다.

-그렇게 살아가는 분들도 계시는구나…….

서울 총괄 매니저의 목소리가 습하다.

원래 운동하는 사람이 감수성이 풍부하다.

-알았어. 그분들 대상으로 구인 공고 내 볼게. 고객님들 중에 공무원분들도 많으시니까 제도적으로 도울 수 있는 방향이 있을지도 알아볼게.

"오. 이젠 그런 말도 할 줄 알아요?"

-이놈이?

"부탁할게요!"

전화를 끊은 종혁은 담배를 던지며 돌아섰다가 놀랐다.

어느새 다가온 박춘득이 흐뭇하게 웃고 있다.

"하하. 식사하러 가시죠, 박 과장님!"

시간이 벌써 새벽 1시다.

어제보다 빠르게 검거했지만, 덕분에 배가 고팠다.

"어이구, 그래야죠. 좋아하는 거 있어요?"

"뭐든 못 먹을까요."

"푸하핫! 알았어요. 가요."

그들이 향한 곳은 24시간 하는 해장국집이었다.

일반인에겐 늦은 시간이지만, 취객들에겐 좀 애매한 시간이라서 손님이 드문드문 있었다.

"아, 또 해장국이야?"

"짜장면보단 낫지 뭐."

"난 선지!"

경찰들이 떠들썩하게 웃으며 들어간다.

"으음. 냄새 좋네."

냄새부터 맛집의 느낌이 난다.

"음?"

따라 들어가던 종혁은 식당 앞에 도열하는 의경들을 보며 고개를 모로 기울였다.

"뭐 해요, 박 수경. 안 들어와요? 아, 해장국 싫어하나?"

"예? 아, 저흰 괜찮지 말입니다. 식사하고 오시지 말입니다."

덤덤히 말하지만 눈빛이 흔들린다.

'아!'

이십대 초반에 불과한 의경들이 직장인인 경찰들과 같은 메뉴를 매끼 먹기에는 돈이 부담스러울 터였다.

이유를 깨달은 종혁은 안쓰러워졌다.

'너희가 진짜 고생한다, 고생해.'

종혁은 박춘득을 찾았다.

경찰들과 대화를 나누는 그.

종혁은 박춘득을 향해 발을 내디뎠다.

박 수경이 다급히 막았다.

"저, 정말 괜찮지 말입니다. 아까 박 과장님께서 저녁 사 먹으라고 용돈 주셨지 말입니다!"

"박 과장님이요?"

그건 좀 놀라웠다.

박봉인 공무원이 선의를 베푸는 건 어려운 일이었다.

"예. 정말 좋은 분이시지 말입니다. 그러니 걱정하지 마시지 말입니다."

"……아하핫."

그제야 박 수경이 어떤 오해를 했는지 알게 된 종혁은 그게 아니라며 손을 저었다.

"그럼?"

"내가 의경들한테 저녁을 사도 되는지 박 과장님께 허락을 맡으려고 한 건데, 그럴 필요 없겠네요."

박춘득이라면 무조건 허락할 것이다.

'아, 아니구나.'

박춘득은 괜찮다 할지라도 다른 경찰들이 부담을 느낄지 모른다. 내일은 자신이 의경들의 밥을 사야 하는 부담을.

경찰들의 주머니 사정을 뻔히 아는데 그런 압박을 줄 순 없었다.

"아차차. 실수할 뻔했네."

종혁은 지갑을 꺼내 들었다.

"생각해 보니 높은 사람과 같은 곳에서 밥을 먹는 것만큼 숨 막히는 것도 없겠네요. 이걸로 저녁 사 드세요."

"예? 정말 괜찮지 말입니다!"

"오늘 저 때문에 고생했잖아요. 앞으로도 잘 부탁한다는 뇌물이니까 받아 줘요."

종혁은 박 수경의 손에 돈을 쥐여 줬다.

"아니 진짜……."

"맛있게 먹어요. 잔돈은 필요 없어요."

식당 안으로 들어가는 종혁을 다급한 눈으로 좇던 박 수경은 이내 슬그머니 주먹을 폈다.

"……끄헉?!"

"박 수경님. 방금 저 생도가 얼마…… 끼에엑?!"

백만 원 수표 두 장.

그들은 멍하니 종혁을 봤다.

"짱이다……."

"여기 국물 괜찮네."

"하, 이런 국물엔 쐬주를…… 큭! 어무이."

"근무 중이다, 짜샤."

식당 바깥으로 나온 박춘득은 대기 중인 박 수경과 의경들을 쳐다보았다.

"너희들은 뭐 좀 먹었어?"

"옛! 식사 맛있게 하셨습니까!"

박춘득이 눈을 가늘게 떴다.

"또 빵 같은 걸로 부실하게 때운 건 아니지?"

"정말 잘 먹었지 말입니다."

박춘득은 그들의 입에서 나는 햄버거 냄새에 고개를 끄덕였다.

"그래, 앞으론 이렇게 대기하지 말고 너희들끼리 먹고 와."

"예?"

"최 생도가 그러더라. 남이 먹는 걸 지켜보는 것만큼 서러운 것도 없다고. 대신 4인 1조로 움직이고, 술 먹지 말고. 늦지 말고."

같은 걸 먹으면 서로에게 부담이다.

경찰들은 사 줘야 하나 싶어 부담이고, 의경들은 비싸

서 부담이다.

"옛?!"

그들은 떨리는 눈으로 종혁을 봤다.

'지, 진짜 짱이다……'

이쑤시개로 이를 쑤시는 모습도 어쩜 저리 빛나는지.

눈물이 앞을 가리는 듯했다.

"응?"

"큭큭. 최 생도, 밥도 다 먹었으니 움직여야죠? 어디로 갈래요?"

종혁은 고민도 않고 한 곳을 가리켰다.

"안마방도 싹 다 털었으니 다음은 저기죠."

네온사인이 번쩍이는 노래방, 단란 주점.

어젯밤 안마방이 털렸단 소식을 들었을 텐데도, 집중 단속이라 경찰과 의경들이 출몰함에도, 네온사인은 여느 때처럼 화려하게 빛나고 있다.

헛웃음만 나왔다.

박춘득은 웃음을 터트렸다.

"그래요! 우리 최 생도가 가자는데 가야죠! 자, 들어갑시다!"

이날 종혁의 조는 또 한 번 실적 1위를 달성했다.

* * *

형광등이 켜진 작은 사무실.

뿌연 담배 연기가 자욱하다.

얼굴에 칼자국이 난 사십대 중년인이 줄담배를 핀다.

"박 형사는 뭐래?"

"조금만 참으라고 합니다, 형님. 집중 단속 기간이라서 자기도 어쩔 수 없다고 합니다, 형님."

쾅!

담배가 수북이 쌓인 재떨이가 들썩인다.

"씨발! 받아 처먹을 땐 언제고!"

이럴 때 알려 주고, 막아 달라고 상납을 하는 거다.

"알아봤어?"

안마방, 노래방, 유흥 주점 싹 털렸다.

벌써 4일째다.

영업정지에 벌금.

여자들 관리하던 놈들이나 도우미도 싹 끌려갔다.

집중 단속 기간이라고 해도 흉내만 내던 지금까지의 단속과는 질이 달랐다.

'진짜 우리한테만 왜 이러는데, 이 짭새 새끼들아.'

이건 숫제 집중 단속을 핑계로 조직의 돈줄을 말리려는 것 같다.

물론 정말 그렇다면 형사들이 움직였을 거라 아닌 건 알지만, 손해가 장난이 아니다.

업주들도 하소연을 하고 있다.

"예, 형님. 경찰대학교 생도 한 놈이 오야 잡고 분탕을 치는 것 같습니다, 형님. 다른 조직들도 피똥 싼다고 합니다, 형님."

흠칫!

"경찰대? ……그 경찰 간부 양성하는?"

"그렇습니다, 형님. 어떻게 할까요, 형님. 깔까요, 형님?"

'이 미친놈이?!'

"……잠깐만 있어 봐."

현직 경찰 간부도 아닌 생도.

여태껏 건드린 역사는 없지만, 꺼림칙하다.

하지만 이대로 계속 단속을 당하다가는 윗 조직에 내야 할 상납금을 맞추기는커녕 조직을 해산시켜야 할 판이다.

그는 조심스럽게 입을 열었다.

"그 새끼 빽이 누구래?"

"본청 특수 김 과장인 것 같습니다, 형님."

"김종두 과장? 그 미친개?"

그는 마른세수를 했다.

"씨벌. 왜 하필이면 그 양반이야."

눈앞이 깜깜해진다.

"또 없어? 김 과장 하나로는 이런 일을 못 벌일 텐데?"

그는 더 조심스럽게 물었다.

부디 더 강한 배경이 없기를 바라며.

"생안과의 박 과장이란 놈이 귀여운 후배라고 밀어주는 것 같습니다, 형님."

"아, 그 짭새 늙은이."

그는 가슴을 쓸어내렸다.

있어도 그만, 없어도 그만인 한직의 늙은 경찰이다.

박춘득은 없는 사람 쳐도 된다.

"그래, 그렇단 말이지……."

'아다리가 잘 맞아서 이렇게 꼬인 거구나?'

신문에서 계속 때려 대는 것도 우연 때문이었다.

그는 미소를 지었다.

"종식아, 이렇게 하자."

그는 자신의 계획을 말했다.

"헉. 괜찮겠습니까, 형님?"

"괜찮아."

이 사태가 중부서 관내에서만 일어나는 일이라면 또 모른다.

그러나 서울 전역 모든 조직의 밥줄이 끊기고 있다.

그 시작을 김종두가 뒤를 봐주는 경찰대 생도가 끊었으니, 지금쯤 김종두 과장도 골치가 많이 아플 터였다.

조폭의 뒤를 봐주는 건 경찰뿐만이 아니다.

서울 전역에서 조직에게 상납받은 이들이 경찰에 압력을 넣고 있을 것이다.

"그러다 잘못되면……."

"그러니까 뉴 페이스를 쓰자는 거잖아."

언제나 조폭의 일거수일투족을 감시하는 형사들.

그런 그들도 아직 모를 뉴 페이스, 신입들.

"일단 고분고분하게 만들어 놔. 그다음은 내가 해결한다."

뉴 페이스로 하여금 취객으로 가장해 단속을 하는 경찰들을 친다. 밤거리의 일상인 취객의 난동처럼.

잡혀 봐야 어차피 벌금이다.

경찰은 절대 이쪽을 의심하지 못한다.

조폭이 경찰을 친다?

경찰도 웃을 농담이다.

그 생각이 이번 일을 좋게 풀어 갈 것이다.

하지만 얻어맞은 경찰은 다르다.

몸을 사리게 될 것이고, 단속은 지지부진해질 것이다.

그 스타트는 종혁이다.

괘씸해서라도 가만 놔둘 수 없었다.

"통하겠습니까, 형님?"

"너 짭새가 지 몸을 얼마나 챙기는지 모르는구나?"

일선 경찰. 이렇게 단속이나 하는 경찰들은 형사들과 달리 강단이 없어서 더 그렇다.

이렇게 기를 죽여 놓으면 그때 돈을 먹여 놓은 형사들이 움직여 단속을 대충하자는 분위기를 만든다.

'집중 단속이라서 몸을 사린다고? 좆 까!'

세상에 돈 싫어하는 경찰은 없다.

앞으로도 돈을 먹으려면 값을 해야 됐다.

그건 종혁도 마찬가지일 터였다.

돈을 거부한다면 그 돈이 부족한 거다.

그는 그렇게 배웠다.

'김 과장이 빽이라면 본청에 들어갈지도 모를 놈이야.'

본청 형사. 어쩌면 특수범죄수사과의 형사가 될 수도 있다.

만들어 놔야 할 끈이다.

그래서 일단 흠씬 두들겨 팬 후 나중에 대접하려는 거다.

일명 뺨 때리고 어르기 작전이다.

폭력에 겁먹은 놈을 요리하는 건 너무 쉬웠다.

묻어 버리기에는 생도 신분이 걸렸기에, 그는 이렇게 하기로 했다.

아무튼 이 작전이 성공하면 다른 조직들도 따라 하게 될 터.

"정말 대단하십니다, 형님! 이 일이 잘되면 명동 큰형님도 다르게 보실 겁니다, 형님!"

"큭큭. 그러니까 내가 네 형님인 거야. 아무튼 그 새끼 모레까지 내 앞에 데려다 놔."

"예, 형님!"

종식이라 불린 사내는 허리를 깊게 숙였다.

* * *

부르릉.

중부서 근처의 유료 주차장에 차를 세운 종혁이 권아영과 통화를 하고 있다.

─중구청과 계약 맺은 보안 업체 인수를 끝냈고, 나머지 업체들은 협상 중이에요.

종혁은 기사가 터지기 전 전국 각 시, 도, 구청과 계약을 맺은 보안 업체의 인수를 지시했다.

인수를 할 수 없으면 CCTV 공급 계약이라도 맺게 했다.

이 시기 화질이 저질인 CCTV.

현재도 블랙박스 개량에 온 힘을 쏟고 있는 정수찬이 완성한 CCTV의 성능이 훨씬 좋았다.

"힘든 일이었을 텐데 수고했어요, 권 이사."

―별거 아닌 일인데요, 뭘. 그럼 오늘도 수고하세요.

"네에. 권 이사도 수고해요."

차에서 내린 종혁은 하늘을 봤다.

이제 막 어스름히 해가 저물고 있었다.

"끄으으 차! 후. 그럼 일하러 가 보실까?"

기지개를 편 종혁은 중부서로 향했다.

"핫! 충성―!"

"추웅성―!"

"으, 응?"

화들짝 놀라 고개를 돌린 종혁은 피식 웃었다.

일과 중이던 의경들이 장난기 가득한 얼굴로 경례를 하고 있었다.

돈의 위력이 참 좋은 것 같았다.

밤이 되자 종혁은 다시 경찰서를 나섰다.

후다닥!

"노랫소리는커녕 개미 새끼 한 마리도 없지 말입니다."

불 꺼진 지하 노래방에서 뛰어 올라온 의경이 종혁에게 말한다.

옆 건물 3층 안마방에서도 의경이 뛰어 내려와 종혁에게 말한다.

"유리문이 부서져 있지 말입니다."

옆옆 건물에서도 의경이 잰걸음으로 다가온다.

"도우미는 코빼기도 보이지 않지 말입니다."

박춘득과 경찰들은 눈을 껌뻑이며 종혁을 봤다.

'너 뭔 짓 저질렀지?'

그렇지 않다면 의경들이 종혁에게 여기 계시라고, 저희가 살피겠다고 뛰어나갔다 올 리가 없다.

터지려는 웃음을 참은 종혁은 어깨를 으쓱이며 거리를 둘러봤다.

어제보다 좀 어두워진 거리.

그러나 여전히 불야성이다.

"어우씨, 취해!"

"3차 가자! 3차 가!"

"오! 필승 코리아! 오! 필승 코리아!"

누군가 응원가를 선창하자 주위를 지나는 사람들도 미소를 지으며 흥얼거린다.

거리엔 시름 한 점 없이 즐거움만 가득하다.

"어이구. 오늘은 실적이 별로겠는데요?"

"……흐흐. 그럼 좋은 거 아니에요?"

"그렇죠?"

거리에 범죄가 없다.

경찰이라면 누구나 바라는 모습이다.

"크. 역시 최 생도는 생각이 다르네요."

"하하. 가시죠."

그들은 다시 순찰을 재개했다.

거리 속으로 녹아들었다.

"과장님, 일도 별로 없으니 오늘은 식사를 일찍……."

퍽!

'음?'

말을 하던 종혁은 부딪친 사람을 봤다.

부딪칠 것 같기에 몸을 틀었는데 부딪쳤다.

저쪽에서 일부러 부딪친 것처럼.

'뭐지? 흠.'

"어우씨, 뭐야."

"킥킥. 벌써 취했어? 우리 똥수 좆밥이네?"

"씨발, 안 닥쳐?! ……너 잠깐 있어 봐. 어이, 짭새 아저씨. 사과 안 해? 사람을 쳤으면 사과해야 할 거 아냐!"

'짭새.'

종혁은 웃었다.

세 명의 덩치들이 제법이지만, 이제 겨우 스무 살이나 됐을 법한 꼬마들이다. 귀여울 뿐이었다.

"어이구, 선생님 죄송합니다. 제가 앞을 못 봤네요. 그런데 선생님께서도 많이 취하셨어요. 집에 조심히 들어

가셔야 합니다."

취객과 일일이 싸우다간 일을 못 한다.

종혁은 가자고 말하며 발을 내디뎠다.

그 순간.

턱!

어깨를 잡혀 몸이 강제로 돌려진다.

종혁은 날아오는 주먹에 고개를 숙이며 물러났다.

"……어디서 훈계질이야? 내가 만만해?!"

당황했다가 버럭 소리를 지르는 취객.

"아이고, 예. 죄송합니다, 선생님. 제가 잘못했어요."

"좆 까!"

슈악!

'음?'

몸을 뒤로 젖힌 종혁은 스쳐 지나가는 주먹에 의아해했다.

'권투?'

그것도 제법 제대로 배운 주먹이다.

'운동했다는 놈들이. 쯧쯧.'

"선생님, 그만하세요. 그러다 다치십니다."

박춘득도 다급히 끼어든다.

"그만하세요, 학생들. 더 이상 하시면 공무집행방해가 성립될 수 있습니다."

"이건 또 뭐야!"

종혁은 박춘득에게도 주먹을 휘두르려는 취객을 살짝 밀쳤다.

"어? 씨발, 쳤어? 경찰이 시민을 쳤어? 오냐, 그래! 덤벼 봐!"

들어오라고 손짓하는 취객.

종혁은 박춘득을 봤다.

한숨을 푹 내쉰 박춘득은 고개를 끄덕였다.

"괜찮겠어?"

"이 정도야 뭐."

몸을 돌린 종혁은 취객에게 다가갔다.

"선생님, 지금부터 공무집행방해죄로 체포하겠습니다. 손 내미세요."

"죽어, 이 새끼야!"

쉬익!

주먹이 최단 거리로 쏘아진다.

그러나 느리다.

팔을 감은 종혁은 그대로 메쳐 버렸다.

"크악!"

"가만히 계세요. 정말 다치십……."

종혁은 손을 풀며 다급히 물러났다.

그가 있던 자리로 다리가 휘둘러졌다.

다른 경찰이 난입을 막기 위해 막아섰는데 그걸 뚫고 공격을 한 거다.

그런데.

"킥복싱?"

종혁은 다른 경찰과 대치를 이룬 세 명의 취객을 봤다.

이쪽만 죽일 듯 노려보며 자세를 잡고 있다.

놀랍게도 그런 그들의 눈에선 취기가 보이지 않았다.

"……야, 너희 뭐냐?"

취객이 아니다.

작정하고 온 놈들이다.

"죽여!"

"막아!"

8장. 풀문 나이트

풀문 나이트

쉭쉭!

일어난 권투 취객이 주먹을 뻗는다.

잽잽, 원투.

잽에 신경을 쏠리게 만든 후 스트레이트가 화살처럼 쏘아진다.

권투는 무서운 무술이다.

팔이 닿는 거리에 함부로 들어가면 어느 순간 정신이 끊어져 버리는 무서운 무술.

'정말 제대로 배웠네.'

이렇게 작정하고 왔다면 손속에 자비를 둘 이유가 없다.

"죽어!"

풋워크로 다가온 권투 취객이 어퍼컷을 날린다.

'지랄.'

주먹을 피한 종혁은 밑에서부터 걷어 올렸다.

쩌억!

"……하응."

싸대기에 턱이 돌아간 복싱 취객이 쓰러진다.

종혁은 나머지 취객들을 봤다가 피식 웃었다.

"씨발! 놔! 안 놔?!"

"놔아!"

경찰과 의경들이 덮쳐 몸으로 짓누르고 있다.

업어치기를 당한 듯 괴로워하는 그들.

코끼리에 깔린 하이에나 같아 보여 우습기만 하다.

종혁은 발버둥 치는 그들의 앞에 쪼그려 앉았다.

"야. 너희 누가 보냈냐?"

박춘득과 경찰들이 깜짝 놀라 종혁을 본다.

"보내긴! 씨발! 이거 안 풀어?!"

"……그래. 말할 마음이 없으시겠다?"

종혁은 아직도 기절한 복싱 취객의 몸을 뒤져 지갑을 찾았다.

그리고 어딘가로 전화를 걸었다.

"어, 우영아. 종혁이 형인데 너무 늦게 전화한 거 아니지?"

동일고 유도부 현 주장이다.

"다름이 아니라 최필호라고 알아? 스무 살인데 권투 했고. 어, 몰라? 그럼 수배 좀 해 줄 수 있을까? 어, 그래.

기다릴게."

　운동을 하다가 그만두게 되거나 삐뚤어지게 되면 더러 불량한 애들, 소위 일진과 어울리기도 한다.

　더욱이 아직까진 내가 최고다 하며 학교 일진끼리 서로 싸움을 하는 시기다.

　이런 일들은 운동하는 사람들 사이에서는 몇 다리만 건너면 다 알게 된다.

　취객 셋을 경찰차 뒷자리에 구겨 넣은 박춘득이 전화를 끊은 종혁에게 다가온다.

　"무슨 말이에요? 누가 보내다니?"

　"아무래도 쟤들, 작정하고 온 것 같아서요."

　"흠…… 잘못 본 거 아니에요?"

　박춘득도 뭔가 이상했지만, 셋에게선 술 냄새가 많이 났다.

　야간에 근무하는 경찰에겐 일상이나 다름없는 주취자의 폭력 행사다.

　"저도 그러길 바랍니……."

　지이잉!

　종혁은 얼른 전화를 받았다.

　─형!

　"어, 그래. ……아, 그래?"

　순간 종혁의 음성이 사나워진다.

　박춘득은 눈을 동그랗게 떴다.

　"그랬어? 고마워. 다음에 밥 한 끼 살게. 응, 잘 자."

전화를 끊은 종혁은 박춘득을 봤다.

"망치파라고 아세요?"

"······!"

안다.

중부서 관내에 기생하는 조폭 조직이다.

"설마······."

"푸핫! 이거 재밌네."

이제야 상황이 이해가 된다.

굶어 죽을 것 같으니까 뉴 페이스를 보내 분란을 일으키려 한 거다.

조폭 따위가 경찰에게.

형사들 레이더에 걸리지 않은 생짜 신삥들이라 걸릴 위험도 없으니 딱 좋기도 하다.

종혁은 담배를 물었다.

"하, 나 이 씹새끼들."

역시 조폭은 사회의 악이다.

'그놈들 잡기 전에 이 새끼들부터 치워야겠네.'

박춘득과 다른 경찰들의 얼굴도 뻘겋게 달아올랐다.

종혁은 순찰차로 걸어가 뒷문을 열고, 한 놈의 머리채를 잡아 꺾었다.

"악!"

"야. 왜 야생에서 새끼 늑대를 건드리지 말라는 줄 알아?"

"뭐, 뭔 개소리야!"

건드리면 어미가, 그리고 늑대 무리가 새끼를 죽인 놈을 죽일 때까지 쫓기 때문이다.

경찰대 생도는 그 새끼 늑대였다.

현재 경찰의 고위 간부 90퍼센트 이상을 배출한 경찰대학교의 새끼 늑대.

종혁은 그의 머리를 강제로 틀었다.

"보여? 봐. 보이지?"

박춘득과 경찰들이 이쪽을 죽일 듯 노려보고 있다.

누가 봐도 잘못됐다고 느낄 모습이다.

취객의 눈이 크게 흔들렸다.

"기대해. 너희들 이제 좆 됐으니까."

종혁은 이를 갈았다.

＊　＊　＊

조폭이 경찰대 생도를 노렸다.

이는 경찰에 대한, 경찰 간부에 대한 선전포고였다.

조폭 따위가.

대한민국 경찰 조직 전체가 움직이기 시작했다.

우당탕!

"막아!"

"제껴!"

사무실 바깥이 시끄럽다.

벌컥!

망치파 두목의 오른팔이 열고 들어온 문을 몸으로 막는다.

"형님! 피하셔야 합니다!"

피투성이가 된 오른팔의 처절한 외침.

을지로 일대의 밤을 지배하던 망치파 두목은 떨리는 손으로 담배를 물었다.

"가긴 씨발."

어디로 간단 말인가.

하나 있는 입구로 경찰이 들이닥쳤다.

도망갈 길은 없었다.

치익!

'씨발. 이게 어떻게 된 일이지?'

그의 계획은 이게 아니었다.

그냥 겁을 좀 준 후에 영업을 재개하려 했을 뿐이다.

쾅! 쾅!

"열어! 안 열어?!"

"형니임!"

꽈아앙!

"으악!"

문이 부서질 듯 열리며 오른팔이 땅바닥을 나뒹군다.

"형님, 피하셔야 합니다아. 형니임. 니미, 영화 찍는 줄?"

킥킥.

웃음소리가 번진다.

망치파 두목은 이를 악물었다.

"김 반장."

중부서 강력계 형사2팀 김 반장.

타다닥! 뻐억!

"퀙?!"

달려온 형사 한 명이 두목의 가슴을 깠다.

벌렁 넘어간 두목은 곧 구레나룻이 잡혀 들어 올려졌다.

"아, 아아!"

두목은 형사의 손을 탁탁 치며 몸을 흔들었다.

"씨벌, 양아치 깡패 나부랭이 새끼가 어디 반장님께. 후까시 안 풀어? 이걸 확."

"……."

두목은 슬그머니 눈을 깔았다.

형사들은 피식 웃었다.

어차피 이런 놈들이다.

약자에겐 한없이 강하지만, 강자에겐 허리도 못 펴는.

김 반장이 옆으로 영장을 넘기며 입을 열었다.

"최 생도. 최 생도가 해 볼래?"

두목은 고개를 번쩍 들었다.

'저 새끼?!'

모두 종혁 때문이다.

분노와 살의가 솟구쳤다가…….

"눈 깔아. 파 버리기 전에."

……쑥 내려갔다.

종혁은 그 모습을 무시하며 김 반장을 봤다.

"그래도 됩니까?"

종혁이 되물었다. 미란다원칙 때문이다.

아직 경찰 신분이 아닌 종혁이 미란다원칙을 고지한 걸 이놈이 걸고넘어지면 귀찮아진다.

"원래 이런 일은 당사자가 매듭을 지어야 하는 거야. 뭐, 종두 형님이나 광수대 대장 형님 부탁도 있고."

종혁의 질문 의도를 알아차린 김 반장은 절차를 확실히 아는 영특한 생도라며 흐뭇이 웃으며 덧붙였다.

"우리가 또 하면 돼. 괜찮아."

"하하."

고맙다며 고개를 숙인 종혁은 두목 앞에 섰다.

'영장을 쥐는 것도 몇 년 만이냐.'

가슴이 떨렸다.

"잘 들어. 최순철 너를 폭행, 폭행 교사, 조직 결성, 주류 관리법 위반, 성추행, 성매매…… 뭐야. 진짜 양아치였네?"

"씨발! 양아치라 부르지 마……."

쩍!

뺨을 얻어맞은 두목의 눈이 풀렸다.

"양아치 새끼가 어디서."

"종혁 후배야. 얼굴은 때리면 안 돼."

그렇게 말하는 형사는 웃음을 터트리기 일보 직전이다.

김 반장이나 다른 형사들도 마찬가지다.

새까맣게 어린 종혁이 조폭 두목을 요리하고 있다.

어이없으면서도 흐뭇했다.

"죄송합니다, 선배님. 큼. 아무튼 순철아. 뭐 이런 혐의로 너를 체포하는 거야. 너란 놈도 변호사를 선호할 권리가 있는데 하지 말고……."

미란다원칙을 쭉 읊은 종혁은 두목의 귀에 입을 가져갔다.

"내가 너 생각해서 하는 말인데, 진짜 변호사 선임하지 마. 내가 아는 분이 서울지검의 형사부 부장검사야."

"끅!"

"전관 변호사들도 더러 알고 있고. 보이니?"

롤렉스 시계:

재력이 범상치 않다는 증거다.

두목의 눈이 크게 흔들렸다.

종혁은 그런 그의 뒷목을 쓰다듬었다.

"한 10년 뒤에 보자, 순철아. ……살아 있으면."

서울, 아니, 전국 경찰들이 조폭들을 뒤집고 있다.

다신 이딴 짓 못 하게.

그들에게 상납받던 이들도 연락을 피하고 있을 것이다.

내일 신문에 이번 일에 대한 진상도 실릴 예정이다.

그럼 피해를 입은 조폭들이 가만있을까?

탁탁!

맞은 건 뒷목인데 힘이 풀리는 건 사타구니였다.

두목은 종혁의 발끝조차 보지 못한 채 벌벌 떨었다.

* * *

집중 단속에 불만을 품은 조직폭력배!

경찰대 학생을 노린 조폭!

대한민국 조폭 공화국?

경찰, 조폭과의 전쟁 선포!

수원 인계동 조직, 일망타진!

─휴우. 또 한 건 하셨네요?

"거리가 깨끗해져서 좋죠, 뭐."

종혁은 권아영의 말에 피식 웃었다.

─경찰 쪽은 괜찮나요? 안 좋은 말이 들리던데.

"아, 그거요?"

조폭에게 돈을 상납받은 경찰들이 죄다 내사 리스트에 올랐다.

월드컵이 끝남과 동시에 모두 직위 해제나 퇴직을 당한다고 봐야 했다.

수많은 이권과 파벌이 복마전처럼 얽힌 경찰이란 거대한 조직이 드디어 고름을 짜내기로 한 것이다.

좋은 일이었다.

덕분에 TO도 많이 생길 예정이었다.

자정작용을 마친 경찰.

그 빈자리에 들어갈 정의감 넘치는 신입 경찰들.

기대가 됐다.

"구청 쪽은 어때요?"

─그쪽도 난리죠.

온갖 이권에 개입하는 조직폭력배다.

그들의 뒤를 봐주던 구청 공무원들도 난리 났다고 봐야 했다.

─덕분에 일이 쉽게 됐어요.

"……CCTV 관리 쪽 공무원 목이 날아갔나 봐요?"

─과장 목이 날아갔어요.

미관에 방해된단 이유로 CCTV를 이상한 곳에 설치했던 공무원들. 알고 보니 유흥가 쪽엔 설치하지 말아 달라는 청탁을 받은 사실이 발각됐다.

구청장의 목도 간당간당했다.

"저런."

그래서 일이 편해진 거다.

지금 경찰의 일에 태클을 걸 사람은 단 한 명도 없으니 말이다.

또 저번처럼 도시 미관을 핑계로 CCTV 설치 장소를 옮기려 한다? 난리 나는 거다.

여기에 행복의 쉼터 재단의 권회수가 중구청을 비롯한 몇 개 구청에 막대한 기부금을 전달하기로 했다.

다신 이런 범죄가 일어나지 않도록 범죄 예방에 힘써 달라고.

구민들이 신청하면 무료로 CCTV를 달아 주라고.

최소한 중구에 한해서는 월드컵 시작 전에 CCTV가 빈틈없이 설치될 예정이었다.

"잘됐군요. 직원을 더 채용해서라도 최대한 빨리 일을 진행시켜 주세요."

—네, 걱정 마세요. 아, 전화 들어오네요. 잠시만요.

"아니에요. 그럼 수고해요."

—네, 보스!

전화를 끊은 종혁은 기지개를 쭉 폈다.

"끄으으! ……좋네."

오늘따라 거실에서 보는 하늘이 맑아 보인다.

띠띠띠띠띠! 띠리릭!

집 현관의 문을 열며 고정숙이 들어온다.

"응? 벌써 퇴근했어?"

"오늘부터 주간 근무라고 했잖아요. 곧 출근해야 돼. 엄마는?"

아침 7시 30분.

아침 장사 준비로 한창 바쁠 시간이다.

"통장 놓고 가서 잠깐 올라온 거야."

"거래처? 그냥 폰뱅킹 하라니까."

"그걸 어떻게 믿어? 암튼 출근 잘하고. 다치지 말고."

"충성."

피식 웃은 고정숙은 돌아서다 멈췄다.

"아, 오늘은 벤츠 타지 마. 내가 쓸 거야."

"……맞선 봐?"

그러고 보니 요새 부쩍 헤어스타일을 바꾸고 있다.

"연애."

"뭣?! 잠깐. 정숙 씨? 어머니?"

"파이팅."

그녀는 재빨리 문을 닫았고, 종혁은 눈을 가늘게 뜨며 핸드폰을 들었다.

"이고르?"

현재 어머니를 보호하고 있는 러시아 정보부 요원 중 팀장.

나탈리아가 흔쾌히 내준 보디가드들이다.

"어머니가 현재 누굴 만나고 있죠?"

종혁은 자동차 키 중 아무거나 잡히는 대로 집어 들며 집을 나섰다.

종혁의 표정은 심각했다.

* * *

아직 영업을 시작하지 않은 나이트의 사무실.

숨이 턱턱 막히는 침묵이 내려앉아 있다.

양복을 입은 덩치 큰 남자들이 상석에 앉은 오십대 장년인을 보며 침만 삼킨다.

"……최순철 그놈 은퇴시켜."

"예, 큰형님!"

그는 마른세수를 했다.

'씨발. 내가 이 나이 먹고.'

뺨을 맞았다.

자중하지 않으면 찢어 버리겠다는 소리도 들었다.

원로들에게도, 뒤를 봐주는 분들에게도.

이 사태를 야기한 최순철을 씹어 먹는다 해도 분이 풀리지 않을 터였다.

'그리고 그 애새끼.'

열불이 치솟지만 건드릴 수 없다.

애먼 놈이 건드렸는데 전국의 모든 조폭이 털리고 있다.

또 건드렸다가는 목숨이 위험해진다.

망치파가 그의 휘하 조직이었기에 앙심을 품은 전국 조폭들이 히트맨을 보낼 가능성이 있다.

'관계를 부정해서 다행이지.'

안 그랬다면 벌써 당했을 것이다.

"그리고 애들보고 숨죽이고 있으라고 해. 경찰이 때려도 엎드리라고 해. 알았어?"

"예! 큰형님!"

그렇게 대답하는 간부들의 얼굴이 어둡다.

이유를 알고 있는 그는 혀를 찼다.

그 역시도 참고 싶지 않았다.

"그리고 그 유도 영웅이라는 애새끼는 나중에……."

띠리링! 띠리링!

"어. 누구……."

ㅡ이 회장. 나 돈 귀신일세.

"큽!"

재빨리 일어선 그는 허리를 숙였다.

거의 반사적인 행동이었다.

"그동안 격조하였습니다, 어르신!"

명동의 돈 귀신 권 노인, 권회수.

은퇴를 당했다고 해도 격이 다른 인물이다.

그의 얼굴이 하얗게 질렸다.

권회수가 껄껄 웃는다.

ㅡ잘 있었는가?

"그냥저냥 살고 있습니다, 어르신."

ㅡ그래. 사람은 그냥저냥 사는 게 제일이지. 다름이 아니라…….

본론이다.

그는 바짝 긴장을 했다.

ㅡ내가 손자처럼 생각하는 아이에게 험한 꼴을 당했다지?

"예?"

ㅡ최 선수 말이야.

툭 던진 말이 심장을 찌른다.

칼날보다 더 서늘하다.

그는 다급히 사무실 내부를 훑어봤다.

'씨발! 도청기라도 설치한 거야?'

아닌 걸 알지만, 타이밍이 너무 거지 같았다.

하지만 이에 그가 할 수 있는 대답은 하나였다.

"병신 같은 놈이 감히 도련님을 건드렸다가 당했습니다. 제가 사람을 잘못 본 것인데, 무슨 억하심정이 있겠습니까. 모두 제 잘못이라 생각하고 있으니 걱정 마십시오, 어르신."

─그랬나? 내가 괜한 걱정을 했나 보구먼.

"아, 아닙니다."

─그럼 그렇게 알고 있겠네.

"예. 살펴 들어가십시오, 어르신!"

전화를 끊은 그는 이마를 훔쳤다.

그사이 흘러내린 식은땀이 흥건했다.

'돈 귀신이 보호하는 애새끼라고?! 씨, 씨발!'

담배를 잡는 그의 손이 떨린다.

그러다 결국 담배를 놓치고 말았다.

그가 이 조직의 간부였던 시절, 눈 하나 깜빡하지 않고 보스를 피떡으로 만들어 놨던 권회수.

고작 이자가 하루 밀렸다는 이유에서였다.

그날 권회수의 무심한 눈빛을 떠올린 그는 벌벌 떨었다.

명동, 밤의 황제 권회수.

"씨바알!"

그는 보스의 안 좋은 모습을 보지 않기 위해 고개를 푹 숙인 간부들을 봤다.

그러고는 뿌드득 이를 갈았다.

"그 애새끼, 아니 도련님 건드리지 마! 절대로! 앞으로도 영원히! 그리고 단속 나오면 무조건 협조하고! 업장에 미짜는 절대 들이지 말고, 2차 나가게 하지 말고! 몰려다니지 말고!"

술 먹고 행패를 부려서도 안 된다.

"아니, 그런 놈들 있으면 그냥 니들이 까 버려! 알았어?"

"옛! 큰형님!"

명동을 일통한 그들의 조직.

그 조직의 두목을 공포에 질리게 만든 존재다.

그들은 복수라는 단어를 깔끔히 지워 버렸다.

* * *

"잡아!"

"몰아!"

결국 도망치던 놈들이 잡혔다.

"아이씨!"

"씨? 씨이?!"

빡!

공원에 모여 술을 마시다 도망친 십대들은 뒤통수를 잡

고 끙끙 앓았다.

"이놈의 새끼들아. 누가 술 마시지 말라디? 마시려면 집에서 마시라는 거 아냐! 따라와!"

"씨잉."

의경들에게 끌려 경찰서로 향하는 십대들을 본 종혁은 담배를 물었다.

그는 헛웃음을 터트렸다.

"이건 근성이 좋다고 해야 할지, 아님 빠가사리라고 해야 할지…….."

술집에서 못 마시게 하니 공원에서 마신다.

뭐 이런 놈들이 있나 싶었다.

어두운 밤.

주간 근무가 끝나고 다시 야간 근무.

월드컵 본선이 정말 코앞이다 보니 난리가 아니었다.

따당 따당 땅! 대-한-민국!

아직 일주일이 남았는데도 거리에선 응원 행렬이 이어진다.

밤에 지나다니는 차들도 '빠방 빠방 빵' 클랙슨을 울린다.

"그래도 거리가 깨끗해져서 좋잖아요. 이 정도 애교는 웃고 넘어가야죠."

이렇게 거리가 달아오르기 전에 깨끗해져서 다행이었다.

"아, 과장님."

박춘득이 환하게 웃고 있다.

그의 마음도 이해가 간다.

안마방, 마사지, 단란 주점 등 꼴도 보기 싫었던 모든 업소들이 모두 영업을 중단한 상태다.

노래방 업주들도 도우미 호출은 절대 사절이다.

미성년자가 술집에서 술 마시고 사고를 치는 일도 없다.

취객이 난동을 부린다고 신고를 받아 출동해도 누군가에 의해 제압된 후다.

제압한 누군가도 대부분 성실히 조사를 받는다. 그런데 그게 조폭이다.

아님 조폭 출신의 일반인.

이번 조폭과의 전쟁에서 납작 엎드린 놈들이 자체적으로 자경단을 만든 거다.

웃어야 할지, 울어야 할지.

또 거리엔 CCTV가 가득하다.

아무 데나 서서 둘러봐도 CCTV가 보인다.

박춘득의 경찰 인생에 있어 처음 보는 광경이었다.

그건 종혁도 마찬가지였다.

'이게 되네?'

종혁도 놀라울 뿐이었다.

"그런데 무슨 일이세요?"

종혁이 주간 근무로 교대되면서 방범 순찰을 따라오지 않게 된 박춘득이다. 가르칠 게 없다는 이유에서다.

"아, 명동지소에서 지원 요청이 왔는데 가 볼래요?"

"명동에서요?"

명동파출소.

작은 파출소임에도 드넓은 명동을 모두 커버할 만큼 능력자만 모아 놓은 곳이다.

대형 사건이 많이 터지는 만큼 승진의 기회도 많아, 순경들이 가장 가고 싶어 하는 메이저 파출소 중 하나.

한때 명동에 가길 원했던 종혁이기에 잘 알고 있다.

"아, 월드컵."

"응원 행렬 때문에 제법 골치 아픈가 봐요."

주위 경찰서에서 의경, 전경을 지원 보낸다고 해도 관할구역이기에 명동파출소 소속 경찰이 파견돼야 한다.

인력 부족 현상이 벌어진 거다.

"당연히 남대문서에서도 지원 가기로 했어요."

명동에서 사건이 터지면 남대문서에서 맡는다.

"알겠습니다. 그런 이유라면 가 봐야죠."

그렇지 않아도 명동의 밤거리가 얼마나 깨끗해졌는지 궁금하던 차였다.

과거 사채의 성지, 명동.

코앞에 청와대가 있는데도 여전히 밤을 지배하는 기생충들이 있는 명동.

조폭이 자경단을 만든 곳도 명동의 조직이다.

왜 이런 귀여운 짓을 하는지 좀 알아보고 싶었다.

그렇게 종혁이 흔쾌히 허락하자 박춘득은 환하게 웃었다.

"잘 생각했어요. 그럼…….."

"여기 박 수경 순찰조와 함께 가겠습니다."

"수경! 박정수!"

박 수경과 의경들이 가슴을 쫙 편다.

박춘득은 눈을 가늘게 떴다.

왜인지 반 이상이 상경 이상으로 꾸려진 박 수경의 방범순찰조. 나머지도 죄다 이경이다.

군대로 치면 상병, 일병, 병장만 모인 기형적인 무리다.

그런 이들이 유독 종혁만을 따른다.

무슨 일이 있었던 게 분명했다.

'최 생도가 간식을 잘 사 주기는 하지만…….'

충성이 좀 과했다.

"흠…… 그래. 최 생도한테 민폐 끼치지 말고."

"저도 이제 곧 민간인이지 말입니다. 떨어지는 낙엽도 조심해야지 말입니다. 걱정 마시지 말입니다."

"말은 청산유수다. 후, 최 생도가 이 망나니들 좀 챙겨 줘요. 명동지소에 가면 담당자가 있을 거예요."

"예, 수고하십시오. 충성."

손을 흔든 박춘득이 차를 타고 멀어지자 종혁은 의경들을 봤다.

다들 눈이 반짝반짝 빛나고 있다.

"명동에 어떤 간식이 있는지 아는 사람? 금액 상관없이 추천 받습니다."

모두가 손을 번쩍 들었다.

* * *

짜작, 짜작, 짝!
"대-한-민국!"
여기도 대한민국.
저기도 대한민국이다.
네온사인이 가득한 명동 거리, 거하게 취한 취객들이 박수를 치면 주위 사람들이 모두 따라 한다.
깜짝 놀란 관광객들은 멍하니 쳐다보고, 한쪽에선 너도나도 얼싸안고 '워어 워어 워어어' 하고 노래 부르며 방방 뛴다.
"좋네."
"맛있고 말입니다."
그들의 손엔 긴 닭꼬치가 들려 있었다.
종혁은 옆에서 토끼처럼 조금씩 떼어먹는 여성 경위를 쳐다봤다.
"많이 드십시오."
"잘 먹을게, 후배님."
명동지소 담당자가 해맑게 웃는다.
경찰대를 졸업하고 파출소에서 순환 근무를 하는 그녀.
그런 그녀의 얼굴이 어둡다.
"모레 상황통제실로 가신다고 하셨죠?"

"휴. 상황이 이래서 더 있어야 하는데……."

월드컵이라 고생할 정든 파출소 가족들을 떠올리니 발이 떨어지지 않았다. 그러나 이미 예정된 보직 이동은 어쩔 수가 없었다.

"힘내십쇼."

아마 상황통제실에 가면 오늘 이 슬픔은 금방 잊게 될 것이다.

너무 바빠서 말이다.

CCTV라는 감시의 눈이 늘어난 만큼 감지되는 범죄의 숫자도 늘어났기 때문이다.

"응, 고마워."

외모도 토끼상이라 귀여운 그녀가 활짝 웃자 의경들이 멍하니 쳐다봤다. 박 수경의 눈빛은 타오르고 있었다.

'아서라. 함부로 대시했다간 업어치기 당한다.'

몸이 여리해도 경찰대 출신이다.

유도는 기본이었다.

"휴우. 다 먹었다. 잘 먹었어, 후배님!"

"맛있게 드셨다니 다행입니다."

"후배님은 더 안 먹어도 돼?"

종혁이 왼손에 쥔 꼬치 숫자가 열 개다.

"됐어요. 좀 있다가 또 먹으면 됩니다."

"……남자는 정말 많이 먹는구나."

'아닌데? 저 형만 많이 먹는 건데!'

의경들은 좀 억울했다.

"하하. 가시죠."

"응! 출발-!"

그들은 방범 순찰을 재기했다.

순찰은 순조로웠다.

큰 축제가 코앞이라서 그런지 평소라면 예민하게 반응했을 일도 자비롭게 넘어가고 있었기 때문이다. 대신 거리에서 잠자는 취객들이 꽤 있어서 무전을 치기 바빴다.

"파출소 근무하시면서 힘드신 점은 뭐지 말입니까?"

용기를 낸 박 수경이 묻는다.

"음. 여자라고 무시하는 점? ……뒈질라고."

그녀의 입에서 된소리가 흘러나오자 박 수경은 눈을 껌뻑였다.

"자, 잘 못 들었지 말입니다?"

"박 수경이랬지? 너는 순경 되면 그러지 마. 그러다 죽어. ……진짜로. 어딜 여자라고 함부로."

"순경 안 할 거지 말입니다."

의경 복무를 마치고 순경을 지원하는 경우가 제법 있는데, 그녀는 그걸 말하고 있었다.

'거봐. 함부로 건드리는 거 아니라니까.'

피식 웃은 종혁은 척 내밀어진 전단지를 멍하니 봤다.

풀문 나이트클럽.

입장 시 맥주 2병 공짜!

*여성은 맥주 4병 공짜!

"경찰 형님, 누님들도 스트레스 받을 땐 흔드셔야죠! 맥주 두 병 공짜입니다! 놀러 오세요! 물 좋아요!"

머리를 노랗게 물들인 십대가 씩 웃는다.

"······푸핫!"

선배도 웃음을 터트린다.

"너 굶어 죽을 일은 없겠다."

"헤헤. 감샤, 또 감샤합니다!"

또라인가 싶었는데, 그냥 넉살이 좋을 뿐이었다.

'뭐 실습 끝난 후에 가 보는 것도······ 흠?'

"흐음. 나이트클럽이라."

그러고 보니 나이트클럽을 단속해 본 경험은 없다.

"선배님, 우리 여기 가 볼까요?"

"응?!"

* * *

보통 미성년자 단속을 한다고 해도 나이트클럽 안으로는 진입하지 못한다.

여러 이권이 얽혀 있기도 하고, 세금도 많이 내기도 하지만 신고가 들어오지 않는 이상 그들이 협조에 불응하면 뚫고 들어갈 수가 없기 때문이다.

그리고 이런 나이트클럽을 관리하는 건 대부분 조폭이다.

이 풀문 나이트클럽은 명동파가 관리하는 곳.

'명동파.'

명실상부 명동에서 최고로 큰 기생충이다.

이번 조폭과의 전쟁에서 납작 엎드리면서 피해를 덜 입은 조직.

종혁의 눈이 서늘하게 빛났다.

"괜찮을까? 막지 않을까?"

"괜찮아요, 괜찮아."

단속을 막는다?

'뒈질라고.'

종혁은 마치 성을 연상시키는 외관의 나이트클럽 안으로 오고 가는 사람들을 봤다.

"아직도 인기 많네."

하지만 이것도 잠시다.

80년대 춤꾼들의 집합지였던 풀문 나이트는 2002년 말 큰 화재가 난 후 역사의 뒤안길로 사라진다.

"어? 어? 뭡니까!"

로비에 있던 웨이터들이 다급히 달려온다.

종혁은 사람 좋게 웃었다.

"미성년자 단속 나왔습니다. 협조 부탁드립니다."

"우린 미짜 안 받아요! 아니 씨발, 경찰이 여길 오면 어쩌자는 거예요! 손님들 술맛 떨어지게!"

"……지금 협조 요청을 거부하시는 겁니까?"

"거부고 나발이고 모르겠고! 얼른 나가요, 나가!"

"무슨 일이야!"

2층으로 향하는 계단에서 덩치 큰 사내가 내려온다.

"저, 전무님!"

"뭐야. 짭새 새끼…… 아니, 경찰들이 왜, 허억?!"

하얗게 질린 전무가 후다닥 달려와 허리를 깊게 숙였다.

"안녕하십니까, 도련님! 명동의 박경종이 인사 올립니다—!"

로비를 쩌렁쩌렁 울리는 외침.

"어…… 뭐?"

놀라고 경악하고 의심스러워하는 시선을 받으며 종혁은 눈을 껌뻑였다.

그러다…….

"……야, 죽을래?"

종혁은 진심으로 화를 냈다.

조폭이 도련님이라고 한다.

같은 경찰 앞에서.

눈앞이 아찔했다.

"……권 이사장님?"

"예, 그렇습니다!"

'권 영감님의 영향력이 아직까지 살아 있나 보네.'

어떻게 된 일인지 이해한 종혁은 목을 긁적이며 선배를 봤다.

무척이나 의심스러워하는 표정을 짓고 있다.

"행복의 쉼터 재단 아시죠?"

"아, 그 가출 청소년 지원하는 곳? 이번 CCTV 설치도 거기 지원받아서 한 거잖아."

"거기 재단 이사장님이 한때 명동 사채업자셨어요. 지금은 회개하시고 불쌍한 애들을 위해 봉사하시지만요. 제가 고등학교 때 잠시 거기서 알바를 한 적 있는데, 기특하다고 저를 후원해 주고 계세요."

"아. 그런 거야?"

"아무래도 이 사람이 그분께 빌린 돈을 아직 못 갚았나 보네요. 맞지?"

"예? 예, 예! 그, 그렇습니다! 하하."

'빚을 많이 졌나 보네.'

선배는 이해했다.

가슴을 쓸어내린 종혁은 귓속말을 했다.

"한 번만 더 도련님 어쩌고 하면 찢어 버린다."

오싹!

갑자기 솟는 솜털에 놀란 눈이 된 전무는 고개를 끄덕였다.

종혁은 싱긋 웃었다.

"저희가 미성년자 단속 좀 하고 싶은데 협조해 주실 수 있겠습니까, 박경종 전무님?"

'CCTV도.'

당시 그놈들이, 곧 이곳에서 끔찍한 사건을 저지르는 놈들이 나이트클럽을 가끔 찾았다는 정보가 있었다.

겸사겸사 CCTV를 검사해 보는 것도 나쁘지 않을 것 같았다.

'4인조, 어딜 가나 네 명이 몰려다녔지.'

"옛! 제가 안내해 드리겠습니다!"

그들은 그렇게 나이트클럽 안으로 입성했다.

쿵쿵쿵쿵!

─한순간에 엿 됐으!

"엿 됐으!"

어둠 속을 화려하게 반짝이는 사이킥 조명과 무대 위 가수의 공연에 맞춰 신나게 노는 사람들.

'군대 두 번 간 그 양반이네.'

숨이 막히는 담배 연기가 그들을 습격한다.

그 순간.

흠칫!

갑자기 뒷목의 솜털이 솟는다.

재빨리 고개를 돌린 종혁은 막 문이 닫히는 입구를 봤다.

아무것도 없었다.

'뭐지?'

왜 갑자기 촉이 반응했는지 이해가 안 됐다.

"후배님?"

"아, 예. 가시죠."

고개를 모로 기울이던 종혁은 이내 어깨를 으쓱이며 단속을 시작했다.

단속은 순조로웠다.

취했어도 경찰복을 보자 모두 순순히 협조해 줬다.

"꺄아아악!"

음악이 끝나자 사람들 모두 환호성을 질렀다.

잠시 단속을 멈춘 그들은 스테이지를 봤다.

땀을 뻘뻘 흘리며 헐떡이는 통통한 사내.

선배가 놀란 듯 말을 꺼냈다.

"어? 와아, 연예인이다. 나이트에선 연예인도 공연하나 보구나."

"신기해요? 나이트에 안 와 보셨어요?"

"한 번도. 연예인에 그다지 관심이 없어서. 그리고 이런 덴 처음…… 윽?!"

퍼억!

누군가와 부딪친 선배가 죄송하다 말하며 고개를 숙인다.

그러나 부딪친 사람의 반응은 달랐다.

"아이, 씨발, 뭐야? 어? 짭새네?"

"오, 짭새다."

마른 몸에 귀걸이를 한 사내.

그 옆, 안경을 낀 뚱뚱한 사내.

눈이 풀린 게 어지간히 취한 것 같다.

'연예인들이네.'

3인조 댄스 그룹의 멤버들인데 좋은 소문은 없었다.

'싸움 잘하는 걸 자랑으로 삼았지?'

정말 그런 듯 입이 걸다.

"씨발. 짭새가 여기 왜 있어? 아니 잠깐……."

거기에 이렇게 취한 상태니 더 상대할 이유가 없었다.

적당히 사과한 종혁과 선배는 다시 움직이려 했다.

"귀여운데? 이봐, 예쁜 언니. 나랑 놀래? 응?"

"그래, 우리랑 놀자~"

종혁과 선배의 얼굴이 딱딱하게 굳었다.

종혁은 얼굴을 쓸어내렸다.

'하, 이 씨발 새끼를 어떡하면 좋지?'

가수가 안 됐으면 길거리 양아치로 살았을 놈이 경찰을 희롱한다. 선배의 얼굴도 일그러지고 있었다.

그 모습을 본 전무가 재빨리 나섰다.

"아이고, 김강건 씨, 대명 씨. 좋게 술 마시러 와서 왜 이러실까?"

"아니 그게……."

"이번엔 경찰 건드려서 1면 장식하려고?"

"……에이."

입맛을 다신 김강건과 최대명은 싱긋 웃으며 명함을 내밀었다.

"남자친구 필요하면 연락해, 언니."

"나도~"

명함을 힐끗 본 선배는 몸을 돌렸다.

"계속하자, 후배님."

"예, 선배님."

"햐, 도도하네. 내 스타일인데?"

둘은 뒤에서 들려오는 말을 외면하며 발을 뗐다.

―이렇게 즐길 줄 아는 너희가…….

"꺄아아아아악!"

이어지는 가수의 공연에 나이트클럽이 다시금 후끈 달아올랐다.

"와아악! 염재수 멋지다!"

둘은 한 번 더 외면했다.

* * *

쿵쿵쿵!

비트가 희미해지는 나이트클럽 밖.

갈색 파마머리의 이십대 후반 사내가 담배를 문 채 다리를 달달 떤다.

"와 씨. 갑자기 짭새 나타나서 식겁했네."

걸리지 않기 위해 몸을 숨겨 나온다고 진땀을 뺐다.

가슴을 쓸어내린 그는 나이트클럽을 보며 침을 뱉었다.

"물은 또 거지 같고! 연예인 온다고 기대하고 왔는데!"

부킹에 실패한 듯 그의 얼굴이 구겨져 있었다.

"그나저나 이놈들은 왜 이렇게 늦어?"

"금방 오겠지."

청바지에 정장 재킷을 입은 안경 낀 사내가 나른하게

말한다.

작은 십자 귀걸이 하나가 빛에 반사되어 흔들린다.

"하여튼 시간관념 없는 새끼들. 어? 저기 오네."

"어이!"

"형들!"

이십대 초반과 중반의 사내들이 손을 흔들며 다가온다.

"왜 이렇게 늦었어! 열나게 기다렸잖아!"

"씨불. 그게 내 탓이냐? 언냐들이 잡고 안 놔주는데 어쩌라고."

"아주 뽕을 뽑고 왔구먼?"

"넌? 왜 이렇게 빨리 나왔어?"

"몰라. 좆 같았어. 됐고. 밥이나 먹으러 가자."

그렇게 말한 파마머리는 지갑을 열었다가 얼굴을 구겼다.

"뭐야, 씨팔! 벌써 이것밖에 안 남았어?"

만 원짜리 몇 장이 전부다.

뒤에 합류한 둘도 당황했다.

"오늘 밥 먹고 내일 파마하면 끝일 것 같은데…… 음?"

스윽!

어깨를 타고 넘는 팔에 파마머리가 깜짝 놀란다.

방금까지 조용히 있던 안경 낀 사내다.

파마머리는 안경 낀 사내를 흔들리는 눈으로 쳐다봤다.

"뭐가 걱정이야. 또 털면 되는 거지."

나른하지만 뱀의 유혹같이 서늘하고 끈적이는 말.

"……괜찮겠어? 너무 이른 거 아닐까?"

"괜찮아. 안 그래도 슬슬 걸릴 것 같아서 무기 바꾸려고 했어. 무기만 바꾸면 모를 거야. 짭새들은 멍청하니까."

"……뭘로 바꿀 건데?"

안경 낀 사내는 대각선의 간판을 가리켰다.

망치를 들고 있는 랍스터 한 마리.

고작 간판일 뿐임에도, 피 냄새가 진하게 풍기는 듯했다.

씨익!

네 명의 입가에 미소가 맺혔다.

* * *

화장실 앞에 모인 종혁과 선배는 혀를 내둘렀다.

'이놈들 정말 엎드렸구나?'

미성년자가 한 명도 없다.

종혁은 당당하게 가슴을 펴는 전무를 봤다.

"거 보십시오. 저흰 절대 미짜 출입 안 시킵니다."

종혁은 코웃음 쳤다.

'퍽이나.'

미성년자는 의외로 매출을 잘 올려 준다.

미성년자 티를 내지 않기 위해 있는 돈, 없는 돈 끌어 모아 오기 때문이다.

"알았으니까 룸이랑 CCTV 좀 봅시다."

"예? 저흰 CCTV 같은 게 없는……."

"지랄하지 말고요."

로비에서 올라오면서 천장에 설치된 걸 뻔히 봤다.

"왜? 싫어요?"

아무래도 아까 갑자기 반응했던 촉이 신경 쓰인다.

안 그래도 겸사겸사 CCTV를 확인하려 했지만, 꼭 확인해 봐야 할 것 같았다.

"그, 그럴 리가요!"

다급히 손을 저은 전무는 이내 간절한 표정을 지었다.

"그, 그런데 룸은…… 아니, 손님들께서 어떤 차림으로 계실지도 모르고!"

일행들끼리 조용히 마시며 놀기 위해 잡는 게 룸이다.

그런데 경찰이 들어온다?

안 그래도 요즘 들어 떨어지는 매출이 더 떨어지는 거다.

하지만.

'이 새끼 봐라?'

변명이 그럴듯하지만 조잡하다.

뭔가를 떠올린 종혁의 눈이 사나워졌다.

"똑바로 말해. 골뱅이 집어넣었냐?"

"……저, 절대 아닙니다! 명동이 어떤 곳인데 간을 배

밖으로 내놓지 않은 이상에야!"

"아니면 비켜."

"도, 도련…… 아니, 경찰님!"

"CCTV 건드리면 진짜 죽여 버릴 거다. 가시죠, 선배님."

"응."

선배의 얼굴도 분노로 일그러져 있다.

골뱅이. 술에 취해 몸과 정신을 가누지 못하는 여성을 일컫는 이 바닥 은어였다.

"경찰님! 형사님-! ……씨발!"

그는 다급히 종혁의 뒤를 쫓았지만, 이미 위층에 도착한 종혁은 가까운 문을 활짝 열었다.

"수고하십니다. 잠시 신분증 좀 확인하겠습니다."

상의를 벗은 채 놀고 있던 삼십대 남성들, 이십대 여성들이 화들짝 놀라 종혁을 봤다.

뒤따라 들어오던 선배와 의경들이 다급히 눈을 감았다.

* * *

"에이 씨부럴. 짭새면 다야?! 카악, 퉤!"

"다음에 오시면 정말 제대로 대접하겠습니다! 조심히 가십시오!"

허리를 숙였다 편 전무는 얼굴을 쓸어내렸다.

'하, 진짜.'

큰형님의 명령만 아니었으면 종혁을 박살을 내 버렸을 거다.

그는 애써 웃었다.

"남대문서, 종로서, 중부서가 근처에 있는데 저희가 왜 그런 험한 짓을 하겠습니까. 입을 완전히 막을 수 있는 것도 아니고. 저흰 예전부터 그냥 아가씨들을 들여보내…… 헙."

"……."

"내일 서로 출석하겠습니다."

"어."

좀 미안해서 보상을 해 줄까 생각했던 종혁은 그 생각을 지우며 마지막 룸의 손잡이를 잡았다.

전무가 그 손을 다급히 잡았다.

종혁의 고개가 삐딱하게 기울어졌다.

"안 놔?"

전무는 다시 한숨을 내뱉었다.

"아까 그 김강건 씨 일행이 있는 방입니다. 연예인 좋아하는 골 빈 애들밖에 없습니다. 여긴 진짜 봐주십시오. 쟤네들 안 오면 매출 반토막 납니다! 부탁드리겠습니다!"

간절하다.

종혁은 선배를 봤다.

"어떻게 하시겠습니까?"

"으응. 그냥 사무실로 가자."

'남자하고 여자들이 막 다 벗고…….'

파출소에서 근무하며 볼 꼴 못 볼 꼴 다 봤지만, 이런 경험은 처음이었다.

더욱이 첫인상이 좋지 않았던 김강건이 있는 룸.

들어가기 싫었다.

그녀는 사무실로 향했고, 종혁은 바로 위에 달린 CCTV를 가리키며 전무를 봤다.

"여자애들 신분증 가져와. 두 번 말 안 한다."

"……예."

종혁도 안쪽의 사무실로 향했다.

"……푸후."

담배를 문 전무는 고개를 푹 숙였다.

"니미 씨발."

전무는 무전기를 들었다.

"돼지 엄마. VIP 룸 앞으로 와."

사무실 안.

종혁과 선배는 CCTV와 연결된 감시 TV 앞에 앉았다.

총 4대의 TV. CCTV의 숫자는 16개였다.

그중 2층의 CCTV가 8대였다.

끝까지 돌렸지만, 아쉽게도 저장된 건 14일 전까지였다.

'한 네 시간 걸리려나.'

"박 수경은 잠깐 쉬고 있으세요."

"아니지 말입니다. 저도 돕겠지 말입니다."

"저도 돕겠습니다!"

의경들이 손을 들며 나선다.

종혁은 피식 웃었다.

"그럼 그래요."

마침 잘됐다.

그렇지 않아도 아까 전 나이트 입구 CCTV부터 확인하려고 했었다.

종혁은 빠르게 뒤로감기 버튼을 눌렀다.

'아, 이쯤이네.'

종혁 본인과 의경들이 로비를 지나 나이트 계단을 오르고 있다.

뒤통수밖에 보이지 않지만, 자신들이 입은 옷으로 알 수 있었다.

그리고 잠시 후.

종혁은 미간을 찌푸렸다.

"……뭐지?"

거동이 수상한 놈들이 CCTV 화면에 잡힌다.

종혁이 들어오고 1분 후 슬그머니 빠져나오는 놈들.

한 명은 짧은 검은 머리고, 한 명은 긴 갈색 머리다.

그런데 행동이 무척 이상하다.

얼마나 취한 건지 계단에 몸을 딱 달라붙어 네 발로 기어 내려가고 있다.

그런데 계단을 반쯤 내려오자 두 발로 선다.

"어라?"

누가 봐도 수상한 모습.

마치 누군가를 피해 도망가는 것 같은 모습이다.

'설마 우리를?'

우연이라 치기엔 타이밍이 공교롭다.

'수배범?'

종혁은 고개를 쭉 내밀었다.

뭐 하는 놈들인지 얼굴을 좀 더 자세히 보고 싶었다.

다만 화질이 너무 흐릿해서 이목구비가 잘 보이진 않았다.

그러다.

"어, 이 새끼들?!"

종혁의 외침에 사람들의 이목이 쏠렸다.

하지만 종혁은 그에 신경 쓸 겨를이 없었다.

검은 머리, 왼쪽 귀에서 반짝이는 귀걸이.

'놈들이다!'

서울 경찰들 속을 모두 뒤집은, 일명 4인조 망치 삥치기 사건.

정확히는 사건이 터지고 무려 7년 후에 검거되는 '연쇄 강도치사 사건'의 범인들.

겨우 돈 때문에 사람이 죽든 말든 신경도 쓰지 않은 채 전력으로 망치를 휘두른 악마들이다.

CCTV를 거미줄처럼 깔아서라도 잡고 싶은 놈들 중 두 명이었다. 무척이나 흐릿하지만 촉이 그렇다 외치고 있었다.

그렇다면 지금 할 일은 하나다.

한발 늦은 게 분명했지만, 종혁은 다급히 사무실을 뛰쳐나갔다.

그 순간.

"이 씨발! 내가 그 말 하지 말랬지!"

"꺄악!"

와장창!

무언가 부서지는 소리가 나는 VIP 룸, 그 앞을 막고 있는 조폭들. 그리고 안절부절못하는 웨이터들 사이에 있던 전무가 종혁을 보곤 파랗게 질린다.

"뭐야! 무슨 일이야!"

선배도 다급히 뛰쳐나온다.

"도, 도련…… 경찰님!"

룸 안에서는 여전히 고성이 흘러나오고 있었다.

"형! 그만해요!"

"닥쳐, 이 찐따 새끼야!"

싸움 소리에 갈등하던 종혁은 혀를 찼다.

멀리 있는 범인과 눈앞에서 발생한 사건.

이 상황에서 내릴 수 있는 답은 하나밖에 없었다.

'지미럴!'

언제나 이런 상황이 오면 미쳐 돌아 버릴 것 같다.

하지만 눈앞에서 발생한 사건을 외면할 순 없었다.

'어떤 놈인지 몰라도 죽었다 복창해라!'

뿌드득 이를 간 종혁은 전무를 봤다.

"비켜."

"……하. 니미. 진짜 좃또. 야, 내가 계속 존댓말……."

쩍! 쿠우웅.

"혀, 형님!"

"전무님!"

종혁은 식겁하는 조폭들을 봤다.

"비켜. 싹 다 불질러 버리기 전에."

순간 퍼지는 지독한 살의.

주춤주춤.

조직의 간부인 전무가 한 방에 정신을 잃었다는 게 문제가 아니다. 마치 커다란 맹수가 눈앞에 있는 것 같다.

거기다 경찰.

하얗게 질린 그들은 물러설 수밖에 없었고, 그 벌어진 틈 사이로 VIP 룸 내부를 본 종혁은 헛웃음을 터트렸다.

술병과 안주들이 널브러진 테이블 위에 쓰러진 여성 둘.

씩씩거리는 김강건과 최대명.

볼을 잡은 채 쓰러져 있는 키 큰 사내.

그리고 낄낄 웃고 있는 다른 세 명의 연예인들.

아까 공연을 했던 그 가수도 있다.

경찰모를 벗은 종혁은 뜨겁게 달아오르는 머리를 쓸어 올렸다.

"씨발. 진짜 가지가지 한다."

"……응. 진짜 가지가지 하네."

둘은 VIP 룸의 문턱을 넘었다.

선배가 목을 좌우로 비틀었다.

"김강건 씨, 최대명 씨. 당신들을 폭행……."

"마약류 관리 위반."

종혁은 테이블에 올려진 필터 없는 담배꽁초를 가리켰다.

대마초의 특징이다.

"폭행 및 마약류 관리에 대한 법률 위반으로 현장 체포합니다. 그러니까! 대가리 박아, 이 새끼들아!"

그대로 달려 나간 선배가 김강건의 가슴을 박차더니 허공을 붕 날아 최대명의 목에 발을 찍었다.

"칵!"

"윽! 저 씨발년이! 짭새면…… 악?"

종혁은 김강건의 머리채를 잡아 꺾었다.

"어딜. 넌 내 거야."

"넌 또 뭐야?"

부웅!

얼굴로 날아온 주먹을 피한 종혁의 분노가 폭발했다.

"그 짭새다, 씹새야!"

종혁은 빈 옆구리를 향해 주먹을 꽂아 넣었다.

뿌드득!

"커헉!"

옆구리에서 격한 소리를 내며 기역 자로 떠오른 김강건.

"거기, 움직이지 마세요. 죽습니다."

종혁은 움찔거리는 김강건의 일행들을 향해 경고하며 다시 같은 자리에 주먹을 꽂았다.

빠악! 뿌드득!

"……아아악!"

"진짜 죽어요."

빠악! 뿌드득! ……푸드득!

"에이."

훅 풍기는 오물 냄새.

종혁은 한 발 물러났다.

"아흐윽…… 흐으으…… 엄마……."

'몇 대 처맞았다고 우는 주제에 싸움꾼은 무슨.'

그냥 생양아치일 뿐이었다.

사람들이 자기를 좀 좋아해 준다고 세상이 제 것인 줄 아는 양아치.

코웃음을 친 종혁은 선배를 봤다.

막 덩치 큰 최대명을 업어치기로 넘기고 있었다.

콰아앙!

"끄허억?!"

종혁은 구석에 몰려 바들바들 떠는 여성들을 향해 손을 까딱였다.

"나오세요. 괜찮습니다."

따뜻한 음성에 용기를 내 쭈뼛쭈뼛 걸어 나오는 여성들.

종혁은 그녀들과 테이블 위에 쓰러진 여성들을 한 팔에 한 명씩 들고 옆 룸으로 향했다.

"피해자 및 참고인 조사해야 하니까 여기 계셔야 합니다? 박 수경, 이분들 보호해."

"옙! 충-성!"

룸을 나선 종혁은 손을 뻗었다.

"나, 난 아니, 퀙?!"

의리 없이 뛰쳐나오는 놈의 얼굴을 잡아 던져 버린 종혁은 입을 열었다.

"아무도 못 나오게 막아."

조폭들을 향해 경고한 그는 선배가 다른 놈들을 덮치는 룸 안으로 들어갔다.

달칵!

등 뒤에서 잠기는 문.

종혁의 눈이 더 차갑게 가라앉았다.

"죽자, 씨발놈들아."

(회귀 경찰의 리셋 라이프 6권에서 계속)

중세랜드 생활 20년차
그런데 그곳이 게임 속이었다고?

"인터뷰에 응해 주셔서 정말 감사합니다!
요즘 어디 가도 재연 씨 얼굴이 보일 정도로
왕성하게 활동하고 계신데요!
재연 씨는 이토록 열정을 불태울 수 있는 원동력이
뭐라고 생각하시나요?"
"과금이죠."
"그래요! 과금…… 네?"
"더 열심히 일해야 과금을 할 수 있으니까요."
"네에에……?!"

과금을 하면 아이템과 능력을 얻을 수 있다!
그러나 결국 돈을 벌어야 과금을 하지 않겠는가?
오늘도, 그리고 내일도 기사는 열심히 일한다

박건 판타지 장편소설

열일하는
과금기사